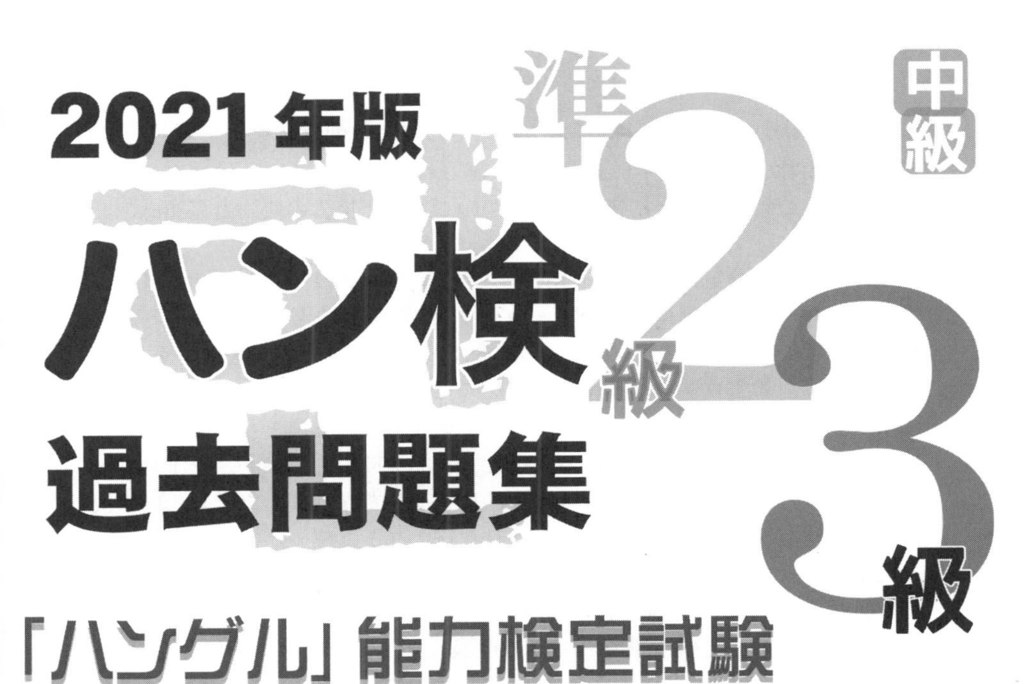

JN117914

まえがき

「ハングル」能力検定試験は日本で初めての韓国・朝鮮語検定試験として、1993年の第1回実施から今日まで54回実施され、延べ出願者数は45万人を超えました。これもひとえに皆さまの暖かいご支持ご協力の賜物と深く感謝しております。

ハングル能力検定協会は、日本で「ハングル」[*1)]を普及し、日本語ネイティブの「ハングル」学習到達度に公平・公正な社会的評価を与え、南北のハングル表記の統一に貢献するという3つの理念で検定試験を実施して参りました。

2020年は、新型コロナウイルス感染症の世界的大流行という未曾有の事態により春季試験が中止に追い込まれ、秋季試験のみの実施となりました。秋季第54回検定試験は全国75ヶ所の会場と、一部地域の4、5級のみをＩＢＴ試験に振り替えて実施し、出願者数は合計13,772名となりました。厳しい状況下でもこれだけの受験者の方がいらっしゃったこと、感染症対策を行いつつの実施は、私たちに多くの物を教えてくれました。

本書は「2021年版ハン検[*2)]過去問題集」として、2020年秋季第54回検定試験の問題を1、2級の上級、準2級、3級の中級、4、5級の初級の3冊にまとめたものです。それぞれに問題(聞きとりはＣＤ)と解答、日本語訳と詳しいワンポイントアドバイスをつけました。

これからも日本語ネイティブのための唯一の試験である「ハン検」を、入門・初級の方から地域及び全国通訳案内士などの資格取得を目指す上級の方まで、より豊かな人生へのパスポートとして、幅広くご活用ください。

最後に、本検定試験実施のためにご協力くださった、すべての方々に心から感謝の意を表します。

2021年3月吉日

特定非営利活動法人
ハングル能力検定協会

[*1)] 当協会は「韓国・朝鮮語」を統括する意味で「ハングル」を用いておりますが、協会名は固有名詞のため、「」は用いず、ハングル能力検定協会とします。
[*2)]「ハン検」は「ハングル」能力検定試験の略称です。

目　次

3級

◎3級(中級前半)のレベルの目安と合格ライン

■レベルの目安

60分授業を160回受講した程度。日常的な場面で使われる基本的な韓国・朝鮮語を理解し、それらを用いて表現できる。

・決まり文句以外の表現を用いてあいさつなどができ、丁寧な依頼や誘いはもちろん、指示・命令、依頼や誘いの受諾や拒否、許可の授受など様々な意図を大まかに表現することができる。
・私的で身近な話題ばかりでなく、親しみのある社会的出来事についても話題にできる。
・日記や手紙など比較的長い文やまとまりを持った文章を読んだり聞いたりして、その大意をつかむことができる。
・単語の範囲にとどまらず、連語など組合せとして用いられる表現や、使用頻度の高い慣用句なども理解し、使用することができる。

■合格ライン

●100点満点(聞取40点中必須12点以上、筆記60点中必須24点以上)中、
60点以上合格。

◎記号について
[ ]：発音の表記であることを示す。
〈 〉：漢字語の漢字表記(日本漢字に依る)であることを示す。
( )：当該部分が省略可能であるか、前後に( )内のような単語などが続くことを示す。
【 】：品詞情報など、何らかの補足説明が必要であると判断された箇所に用いる。
「 」：Point中の日本語訳であることを示す。
★ ：大韓民国と朝鮮民主主義人民共和国とでの、正書法における表記の違いを示す(南★北)。

◎「、」と「；」の使い分けについて
1つの単語の意味が多岐にわたる場合、関連の深い意味同士を「、」で区切り、それとは異なる別の意味で捉えた方が分かりやすいものは「;」で区切って示した。また、同音異義語の訳についても、「；」で区切っている。

◎／ならびに｛／｝について
／は言い替え可能であることを示す。用言語尾の意味を考える上で、動詞や形容詞など品詞ごとに日本語訳が変わる場合は、例えば、「～｛する／である｝が」のように示している。これは、「～するが」、「～であるが」という意味である。

3級

聞きとり　20問/30分
筆　　記　40問/60分

2020年 第54回

「ハングル」能力検定試験

【試験前の注意事項】

1）監督の指示があるまで、問題冊子を開いてはいけません。
2）聞きとり試験中に筆記試験の問題部分を見ることは不正行為となるので、充分ご注意ください。
3）この問題冊子は試験終了後に持ち帰ってください。
マークシートを教室外に持ち出した場合、試験は無効となります。

※CD 3などの番号はCDのトラックナンバーです。

【マークシート記入時の注意事項】

1）マークシートへの記入は「記入例」を参照し、HB以上の黒鉛筆またはシャープペンシルではっきりとマークしてください。ボールペンやサインペンは使用できません。
訂正する場合、消しゴムで丁寧に消してください。
2）氏名、受験地、受験地コード、受験番号、生まれ月日は、もれのないよう正しくマークし、記入してください。
3）マークシートにメモをしてはいけません。メモをする場合は、この問題冊子にしてください。
4）マークシートを汚したり、折り曲げたりしないでください。

※試験の解答速報は、試験終了後、協会公式HPにて公開します。
※試験結果や採点について、お電話でのお問い合わせにはお答えできません。
※この問題冊子の無断複写・ネット上への転載を禁じます。

第54回 マークシート

「ハングル」能力検定試験

個人情報欄 ※必ずご記入ください

受験級

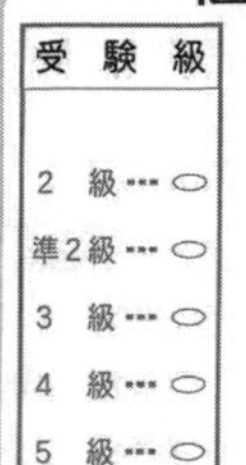

受験地コード

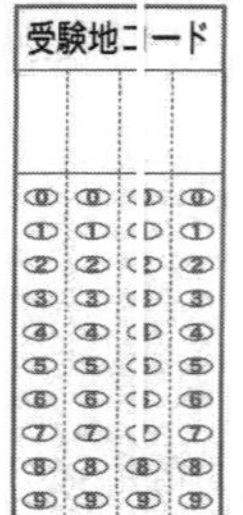

受験番号

⓪	⓪	⓪	⓪
①	①	①	①
②	②	②	②
③	③	③	③
④	④	④	④
⑤	⑤	⑤	⑤
⑥	⑥	⑥	⑥
⑦	⑦	⑦	⑦
⑧	⑧	⑧	⑧
⑨	⑨	⑨	⑨

生まれ月日

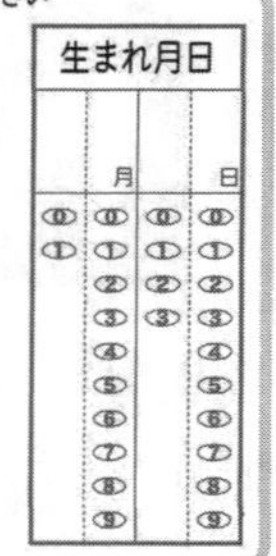

(記入心得)
1. ＨＢ以上の黒鉛筆またはシャープペンシルを使用してください。(ボールペン・マジックは使用不可)
2. 訂正するときは、消しゴムで完全に消してください。
3. 枠からはみ出さないように、ていねいに塗りつぶしてください。

(記入例)解答が「1」の場合

良い例 ● ② ③ ④

悪い例 レ点 線 バッテン 点 うすい

聞きとり

1	①	②	③	④
2	①	②	③	④
3	①	②	③	④
4	①	②	③	④
5	①	②	③	④
6	①	②	③	④
7	①	②	③	④
8	①	②	③	④
9	①	②	③	④
10	①	②	③	④
11	①	②	③	④
12	①	②	③	④
13	①	②	③	④
14	①	②	③	④
15	①	②	③	④
16	①	②	③	④
17	①	②	③	④
18	①	②	③	④
19	①	②	③	④
20	①	②	③	④

筆　記

1	①	②	③	④
2	①	②	③	④
3	①	②	③	④
4	①	②	③	④
5	①	②	③	④
6	①	②	③	④
7	①	②	③	④
8	①	②	③	④
9	①	②	③	④
10	①	②	③	④
11	①	②	③	④
12	①	②	③	④
13	①	②	③	④
14	①	②	③	④
15	①	②	③	④
16	①	②	③	④
17	①	②	③	④
18	①	②	③	④
19	①	②	③	④
20	①	②	③	④
21	①	②	③	④
22	①	②	③	④
23	①	②	③	④
24	①	②	③	④
25	①	②	③	④
26	①	②	③	④
27	①	②	③	④
28	①	②	③	④
29	①	②	③	④
30	①	②	③	④
31	①	②	③	④
32	①	②	③	④
33	①	②	③	④
34	①	②	③	④
35	①	②	③	④
36	①	②	③	④
37	①	②	③	④
38	①	②	③	④
39	①	②	③	④
40	①	②	③	④

41問～50問は2級のみ解答

41	①	②	③	④
42	①	②	③	④
43	①	②	③	④
44	①	②	③	④
45	①	②	③	④
46	①	②	③	④
47	①	②	③	④
48	①	②	③	④
49	①	②	③	④
50	①	②	③	④

K12516T 110kg

ハングル能力検定協会

聞きとり問題

CD 2

1 選択肢を２回ずつ読みます。表や絵の内容に合うものを①～④の中から１つ選んでください。解答はマークシートの１番と２番にマークしてください。
(空欄はメモする場合にお使いください)　〈2点×2問〉

CD 3

1）　　1

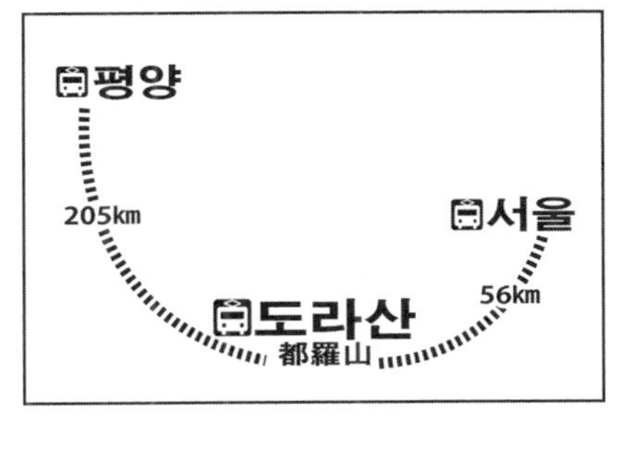

①

②

③

④

CD 4

2）

2

①

②

③

④

問　題

CD 5

2 短い文と選択肢を２回ずつ読みます。文の内容に合うものを①～④の中から１つ選んでください。解答はマークシートの３番～８番にマークしてください。

(空欄はメモをする場合にお使いください)　〈2点×6問〉

CD 6

1）＿＿＿＿＿＿＿＿＿＿＿＿＿＿＿＿＿＿＿＿＿＿＿＿＿＿＿＿　[3]

①＿＿＿＿＿　②＿＿＿＿＿　③＿＿＿＿＿　④＿＿＿＿＿

CD 7

2）＿＿＿＿＿＿＿＿＿＿＿＿＿＿＿＿＿＿＿＿＿＿＿＿＿＿＿＿　[4]

①＿＿＿＿＿　②＿＿＿＿＿　③＿＿＿＿＿　④＿＿＿＿＿

CD 8

3）＿＿＿＿＿＿＿＿＿＿＿＿＿＿＿＿＿＿＿＿＿＿＿＿＿＿＿＿　[5]

①＿＿＿＿＿　②＿＿＿＿＿　③＿＿＿＿＿　④＿＿＿＿＿

問　題

CD 9

4）＿＿＿＿＿＿＿＿＿＿＿＿＿＿＿＿＿＿＿＿ **6**

①＿＿＿＿　②＿＿＿＿　③＿＿＿＿　④＿＿＿＿

CD10

5）＿＿＿＿＿＿＿＿＿＿＿＿＿＿＿＿＿＿＿＿ **7**

①＿＿＿＿　②＿＿＿＿　③＿＿＿＿　④＿＿＿＿

CD11

6）＿＿＿＿＿＿＿＿＿＿＿＿＿＿＿＿＿＿＿＿ **8**

①＿＿＿＿＿＿＿＿　②＿＿＿＿＿＿＿＿

③＿＿＿＿＿＿＿＿　④＿＿＿＿＿＿＿＿

問　題

CD12

3 短い文を２回読みます。引き続き４つの選択肢も２回ずつ読みます。応答文として適切なものを①～④の中から１つ選んでください。解答はマークシートの９番～12番にマークしてください。
(空欄はメモをする場合にお使いください)　〈2点×4問〉

CD13

1）＿＿＿＿＿＿＿＿＿＿＿＿＿＿＿＿＿＿＿＿＿　**9**

①＿＿＿＿＿＿＿＿＿＿＿＿＿＿＿＿＿＿＿＿＿
②＿＿＿＿＿＿＿＿＿＿＿＿＿＿＿＿＿＿＿＿＿
③＿＿＿＿＿＿＿＿＿＿＿＿＿＿＿＿＿＿＿＿＿
④＿＿＿＿＿＿＿＿＿＿＿＿＿＿＿＿＿＿＿＿＿

CD14

2）＿＿＿＿＿＿＿＿＿＿＿＿＿＿＿＿＿＿＿＿＿　**10**

①＿＿＿＿＿＿＿＿＿＿＿＿＿＿＿＿＿＿＿＿＿
②＿＿＿＿＿＿＿＿＿＿＿＿＿＿＿＿＿＿＿＿＿
③＿＿＿＿＿＿＿＿＿＿＿＿＿＿＿＿＿＿＿＿＿
④＿＿＿＿＿＿＿＿＿＿＿＿＿＿＿＿＿＿＿＿＿

問　題

CD15

3）______________________________ 11

①______________________________

②______________________________

③______________________________

④______________________________

CD16

4）______________________________ 12

①______________________________

②______________________________

③______________________________

④______________________________

問　題

CD17

問題文を２回読みます。文の内容と一致するものを①～④の中から１つ選んでください。解答はマークシートの13番～16番にマークしてください。

(空欄はメモをする場合にお使いください)　〈2点×4問〉

CD18

１）　**13**

① 最近では会話より文法が好きな学生が多い。

② 文法を知っていても会話が上達するとは限らない。

③ 会話を上達させるコツは、たくさん話すことだ。

④ 文法的な知識があれば、より正確に話すことができる。

CD19

2）

14

---

① 韓国では白菜キムチよりキャベツのキムチの方が一般的だ。

② 白菜キムチはキュウリのキムチより甘くて美味しい。

③ 冬には白菜が手に入りにくい。

④ 夏にはキャベツのキムチがお勧めだ。

問　題

CD20

3）　**15**

남：________________

여：________________

남：________________

여：________________

① この店ではコーラは売っていない。

② 女性は冷たいビールを飲みたかった。

③ 女性は違う店に行くことにした。

④ 女性はビールとコーラを頼んだ。

CD21

4）

16

남：

여：

남：

여：

① 女性の仕事は土日が休みである。

② 女性は休日によく友達と出かける。

③ 女性は友達と休みが合わない。

④ 女性は週末一人で過ごすことが多い。

問　題

CD22

5 問題文を２回読みます。文の内容と一致するものを①～④の中から１つ選んでください。解答はマークシートの17番～20番にマークしてください。
(空欄はメモをする場合にお使いください)　〈2点×4問〉

CD23

1）　**17**

① 식물을 잘 기르자면 무조건 물을 많이 줘야 한다.
② 햇빛만 있으면 식물은 잘 자란다.
③ 식물은 사람에게 나쁜 영향을 줄 수도 있다.
④ 식물에 적당한 양의 물을 주는 게 중요하다.

CD24

2） 18

① 선생님 덕분에 학교를 졸업했다.
② 두 사람은 부부가 되었다.
③ 형제가 힘을 합쳐 크게 성공했다.
④ 결혼식장은 학교 옆에 있다.

問　題

CD25

3）

19

남 : ______________________________

____

여 : ______________________________

____

남 : ______________________________

여 : ______________________________

① 남자와 여자는 작은 일을 가지고 싸우고 있다.

② 팀장은 여자를 많이 칭찬했다.

③ 여자는 다음 주 월요일까지 팀장을 만나지 못한다.

④ 남자는 여자에게 미안해한다.

CD26

4）

20

여：

남：

여：

남：

① 여자는 현재 통역사로 일하고 있다.

② 통역이 없어도 일본말을 잘하는 한국 연예인이 많다.

③ 남자는 연예인을 싫어한다.

④ 여자는 통역을 잘할 자신이 있다.

筆記問題

1 下線部を発音どおり表記したものを①～④の中から１つ選びなさい。

(マークシートの１番～３番を使いなさい)　〈1点×3問〉

1）우선 책상 정리 할까요?　[1]

① [절리]　② [정니]　③ [정이]　④ [전니]

2）생일이 몇 월 며칠이에요?　[2]

① [며뒬]　② [며췰]　③ [며줠]　④ [며뤌]

3）축구를 하다가 발가락을 다쳤습니다.　[3]

① [발가라글]　② [발카라글]
③ [발까라글]　④ [발라라글]

2 (　　)の中に入れるのに最も適切なものを①～④の中から１つ選びなさい。
(マークシートの４番～９番を使いなさい)　〈1点×6問〉

1) 이야기가 재미있어서 나도 모르게 (4)이 나왔다.

① 손톱　② 물음　③ 이웃　④ 웃음

2) 좀 더 상황을 (5) 할 것 같다.

① 다뤄야　② 놓쳐야　③ 지워야　④ 지켜봐야

3) (6) 무슨 말을 하는지 모르겠다.

① 꽤　② 비록　③ 제대로　④ 도대체

4) A : 목이 좀 마른데요.
B : (7)에서 수박이라도 꺼내 먹어요.

① 노트북　② 냉장고　③ 자유　④ 된장

問 題

5）A：우리 팀 이겼어요? 졌어요?
B：저도 결과가（ **8** ）

① 잘생겼어요.　② 주고받았어요.
③ 칠했어요.　④ 궁금해요.

6）A：왜 그만 먹어요?
B：오늘은 제가（ **9** ）
A：어머, 어디 아픈 거예요?

① 밥맛이 없어서요.　② 입이 가벼워서요.
③ 입이 무거워서요.　④ 숟가락을 들어서요.

3

(　　　)の中に入れるのに適切なものを①～④の中から1つ選びなさい。
(マークシートの10番～14番を使いなさい)　〈1点×5問〉

1) 다 내 잘못이니까 뭐(10) 할 말이 없다.

① 나　② 마다　③ 라고　④ 만큼

2) 핸드폰을 (11) 길을 걸으면 위험하다.

① 보면서　② 보자고　③ 보다가는　④ 보든지

3) 날씨가 (12) 집에만 있으면 안 된다.

① 춥다 보니　② 춥다고 해서
③ 추운 듯이　④ 추운 한편

4) A : 왜 어젯밤에 전화를 안 받았어요?
B : 너무 피곤해서 집에 (13) 잤거든요.

① 들어가며　② 들어가자면
③ 들어가도록　④ 들어가자마자

5） A：기다려도 안 오는데 그냥 가시죠.
B：연락도 없이 (14) 조금만 더 기다려 봐요.

① 안 올 것 같습니다.
② 안 올지도 모릅니다.
③ 틀림없이 안 올 거예요.
④ 안 올 리가 없습니다.

4 文の意味を変えずに、下線部の言葉と置き換えが可能なものを①～④の中から１つ選びなさい。

(マークシートの15番～18番を使いなさい) 〈2点×4問〉

1) 동료들과의 식사 모임이 취소되었다. 15

① 중지 ② 보호 ③ 방해 ④ 제공

2) 선거에 관한 질문이 나오자 그는 기자의 말을 막았다. 16

① 시켰다 ② 아꼈다 ③ 끊었다 ④ 들었다

3) A：오늘 본 일은 절대로 다른 사람한테 말하면 안 돼요.
B：걱정 마세요, 사장님. 17

① 입을 딱 벌리면 ② 입 밖에 내면
③ 입에도 못 대면 ④ 입을 맞추면

4）A：이 고구마 정말 맛있네요.
　　B：이걸 키우려고 얼마나 땀을 흘렸는데요.　18

① 사 먹었는데요　② 돌아봤는데요
③ 운동했는데요　④ 고생했는데요

5 2つの(　　　)の中に入れることができるものを①～④の中から1つ選びなさい。

(マークシートの19番～21番を使いなさい)　〈1点×3問〉

1) ・담배 (　　　) 때문에 목이 아프다.
   ・그 배우의 (　　　)에 감동을 받았다.　**19**

① 냄새　② 모습　③ 연기　④ 감기

2) ・서둘러서 뛰어오다가 지갑을 (　　　).
   ・슬픈 영화를 보고 눈물을 (　　　).　**20**

① 흘렸다　② 잃어버렸다　③ 참았다　④ 놓고 왔다

3) ・사람들의 (　　　)을 끌 만큼 언니는 예쁘다.
   ・언니는 (　　　)이 너무 높아서 남자 친구가 없다.　**21**

① 관심　② 마음　③ 눈　④ 발

6 対話文を完成させるのに最も適切なものを①～④の中から１つ選びなさい。
(マークシートの22番～25番を使いなさい)　〈2点×4問〉

1）A：힘들어 보이시네요. 무슨 일 있으세요?
B：요즘 잠을 잘 못 자서요. (22)
A：와, 축하해요. 아빠가 되셨군요.

① 다음 주에 자격 시험이 있어요.
② 지난주에 아이가 태어났거든요.
③ 몸이 안 좋아서 병원에 다니고 있어요.
④ 장사가 잘 안 돼서 고민이 많아요.

2）A：손님, 이 가방은 어때요?
B：(23)
A：현금으로 계산하신다면 조금 싸게 해 드릴 수 있습니다.

① 마음에 드는데 생각보다 가격이 좀 비싸네요.
② 마음에 드는데 좀 큰 것 같아요.
③ 좋은데 이거 말고 다른 색도 있어요?
④ 좋은데 오늘은 구두를 사러 왔거든요.

3) A : K-POP 콘서트 같이 안 갈래요?

B : (**24**)

A : 인터넷으로 이미 구해 두었으니까 걱정 마세요.

① 좋죠. 그런데 티켓 구하기가 힘들지 않아요?

② 콘서트는 언제 있나요?

③ 같이 가요. 근데 어디서 하나요?

④ 됐어요. 저는 별로 관심이 없어서요.

4) A : 일본 출장 준비는 다 됐어요?

B : (**25**)

A : 그분들이 한국말을 잘하니까 문제 없을 거예요.

① 아뇨. 아직 선물을 못 샀어요.

② 아뇨. 맛있는 초밥 집을 지금 알아보고 있어요.

③ 네. 어디 괜찮은 숙소를 아십니까?

④ 네. 그런데 말이 안 통할 것 같아서 불안해요.

問　題

7 下線部の漢字と同じハングルで表記されるものを①～④の中から１つ選びなさい。
(マークシートの26番～28番を使いなさい)　〈1点×3問〉

1）資格　**26**

① 字幕　② 事実　③ 差異　④ 一次

2）計算　**27**

① 警察　② 開幕　③ 鶏卵　④ 経済

3）副詞　**28**

① 複雑　② 封筒　③ 幸福　④ 否定

8 文章を読んで【問１】～【問２】に答えなさい。
(マークシートの29番～30番を使いなさい)　〈2点×2問〉

일본에서는 보통 무지개*를 7가지 색깔로 그립니다. 그러나 무지개의 색깔 수는 나라마다 다릅니다. 미국에서는 6가지, 독일*에서는 5가지 색으로 그립니다. 또한 같은 지역에서도 시기에 따라 변합니다. 일본에서도 이전에는 사람들이 무지개를 5가지 색깔로 생각했습니다. (**29**) 서로 다른 무지개가 뜨는 것은 아닙니다. 즉* 나라나 시대가 다르면 무지개를 서로 다르게 본다는 것입니다.

*) 무지개：虹、독일：ドイツ、즉：すなわち

【問１】 (**29**)に入れるのに最も適切なものを①～④の中から１つ選びなさい。 **29**

① 그러니　② 그렇다고　③ 그러므로　④ 그러다

【問２】 本文の内容と一致するものを①～④の中から１つ選びなさい。 30

① 독일 사람들이 가장 많은 색깔로 무지개를 그린다.
② 지역이나 시대에 따라 무지개는 다르게 그려진다.
③ 일본에서는 전에 무지개를 7가지 색깔로 그렸었다.
④ 지역에 따라 다른 무지개가 뜬다.

9 対話文を読んで【問１】〜【問２】に答えなさい。
(マークシートの31番〜32番を使いなさい)　〈2点×2問〉

창　민：히카루 씨, 우리 오늘 저녁에는 뭘 먹으러 갈까요?
히카루：글쎄요, 전 아무거나 다 괜찮은데요. 그런데 또 비가 오네요.
창　민：그러면 (31) 부침개를 먹는 건 어때요?
히카루：좋아요. 그런데 비 오는 날에 부침개를 먹는 이유라도 있나요?
창　민：부침개를 부치는* 소리가 비가 내리는 소리와 비슷해서 그렇대요.
히카루：그럼 부침개를 안주로 막걸리 한잔 하러 가요.

*) 부치다：(油を引いて)焼く

【問１】 (31)に入れるのに最も適切なものを①〜④の中から１つ選びなさい。 31

① 오랜만에 만났는데　② 먹을 거 못 정했는데
③ 날씨도 좋은데　④ 비가 오니까

問　題

【問２】 本文の内容と一致するものを①～④の中から１つ選びなさい。 **32**

① 히카루는 집에서 부침개를 부치자고 했다.
② 창민은 비 오는 날에 부침개를 즐기는 이유를 모른다.
③ 비 오는 날에 부침개를 즐기는 사람이 있다.
④ 비가 내리는 소리가 막걸리를 마시는 소리와 비슷하다.

10 文章を読んで【問１】～【問２】に答えなさい。
(マークシートの33番～34番を使いなさい)　〈2点×2問〉

제주도*는 한국에서 유명한 관광지이다. 해외여행이 자유롭지 못한 시기에는 많은 사람들이 신혼여행*으로 제주도에 갔었고, 현재도 많은 관광객들이 제주도의 자연을 즐기기 위해 이 섬을 찾는다. 또한 제주도는 (33) 유명한 관광지로 많은 외국 손님들이 찾는다. 최근에는 제주도로 이사하는 사람들이 많아서 인구도 늘고 있다. 건물도 새로 생기고 도로도 넓어지는 등 빠른 속도로 발전하고 있다. 그렇다고 좋은 일만 있는 것은 아니다. 빠른 개발은 제주도의 자연에 안 좋은 영향을 미치기도 한다. 제주도의 자연을 지키지 못하면 제주도를 찾는 사람도 줄 것이다.

*) 제주도：済州島、신혼여행：新婚旅行

【問１】 (33)に入れるのに最も適切なものを①～④の中から１つ選びなさい。 33

① 국제적으로는　② 국제적으로도
③ 국제적으로만　④ 국제적으로든

問　題

【問２】 本文の内容と一致するものを①〜④の中から１つ選びなさい。 34

① 제주도 관광객들은 대부분이 한국 사람이다.
② 제주도 인구는 옛날 그대로이다.
③ 관광객들을 위해 더 많은 건물을 지어야 한다.
④ 제주도의 자연을 지켜야 앞으로도 관광객들이 올 것이다.

11

下線部の日本語訳として適切なものを①～④の中から1つ選びなさい。

(マークシートの35番～37番を使いなさい)　〈2点×3問〉

1) 해외여행을 가기 전에 환전할까 말까 고민 중이다.　35

① 行くか行かないか
② 歓迎してくれないのではないか
③ 返品しようと思って
④ 両替するかしないか

2) 돈도 없으면서 집을 사 주겠다고 큰소리를 친다.　36

① 大口を叩いている。
② 大声で話している。
③ すぐに弱音を吐く。
④ 思いっきり叩く。

問　題

3）술을 너무 많이 마셔서 혀가 안 돌아간다. **37**

① うるさく騒ぐ。

② なかなか家に帰らない。

③ ろれつが回らない。

④ まっすぐ立てない。

12 下線部の訳として適切なものを①～④の中から１つ選びなさい。
(マークシートの38番～40番を使いなさい)　〈2点×3問〉

1）この地域は近年、日に日に発展している。　38

① 날에 날에
② 하루가 다르게
③ 알고보니
④ 한 발 늦게

2）また約束を破るなんて、我慢にも程がある。　39

① 참는 데도 한계가 있다.
② 우는 소리를 한다.
③ 때를 놓쳤다.
④ 눈치가 없다.

3）今回のプロジェクトチームのメンバーは、息がぴったりだ。

40

① 앞뒤가 잘 맞는다.
② 숨이 딱 찬다.
③ 한숨 쉰다.
④ 손발이 잘 맞는다.

聞きとり 問題と解答

これから３級の聞きとりテストを行います。選択肢①～④の中から解答を１つ選び、マークシートの指定された欄にマークしてください。どの問題もメモをする場合は問題冊子の空欄にしてください。マークシートにメモをしてはいけません。では始めます。

1 選択肢を２回ずつ読みます。表や絵の内容に合うものを①～④の中から１つ選んでください。解答はマークシートの１番と２番にマークしてください。次の問題に移るまでの時間は30秒です。

1）　　1

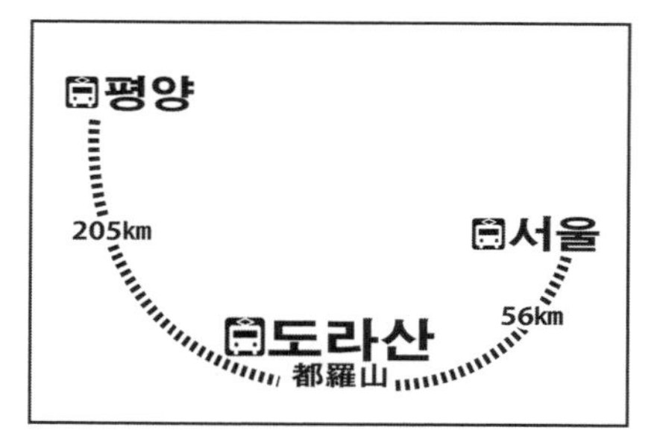

① 서울보다 평양이 도라산 역에서 가깝습니다.
　→ ソウルよりピョンヤンがトラサン駅から近いです。

❷ 도라산에서 평양까지는 205km입니다.
　→ トラサンからピョンヤンまでは205kmです。

解　答

③ 평양 역 다음 역이 서울 역입니다.

→ ピョンヤン駅の次の駅がソウル駅です。

④ 평양 역과 서울 역은 56km 떨어졌습니다.

→ ピョンヤン駅とソウル駅は56km離れています。

2）

2

① 무를 자르고 있습니다.

→ 大根を切っています。

❷ 무를 뽑고 있습니다.

→ 大根を抜いています。

③ 이를 빼고 있습니다.

→ 歯を抜いています。

④ 짐을 싣고 있습니다.

→ 荷物を積んでいます。

Point 絵の中の人物が大根を抜いている。「大根」は무、「抜く」は뽑다なので正答は②。①と③を選んだ受験者も一定数いたが、자르다は「切る」、이は「歯」なのでそれぞれ誤答。

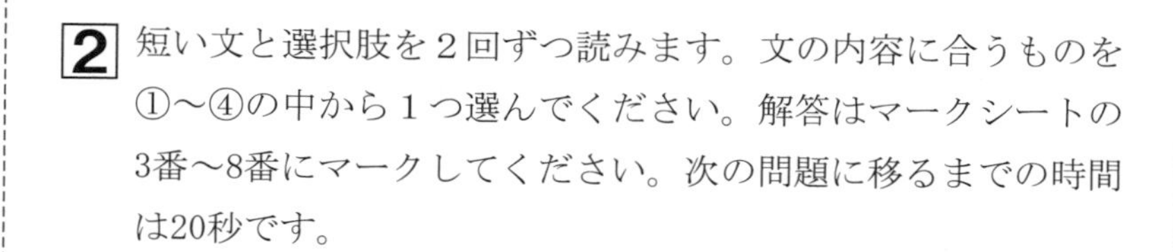

2 短い文と選択肢を２回ずつ読みます。文の内容に合うものを①〜④の中から１つ選んでください。解答はマークシートの3番〜8番にマークしてください。次の問題に移るまでの時間は20秒です。

1）미리 표를 사 두는 것을 말합니다. **3**

→ 事前にチケットを買っておくことを言います。

① 미팅 → 合コン　② 예보 → 予報

❸ 예매 → 前もって買うこと　④ 예습 → 予習

Point 問題文にある표は「チケット」、사 두다は「買っておく」の意味。また예매は、日本語には無い「予買」という漢字語で、「前もって買うこと」を意味する言葉。①の미팅は英語のmeetingで「合コン」という意味。

2）무료와 같은 뜻입니다. **4**

→ 無料と同じ意味です。

① 광고 → 広告　② 무책임 → 無責任

③ 불만 → 不満　❹ 공짜 → ただ

3）은행에 맡긴 돈을 말합니다. **5**

→ 銀行に預けたお金を言います。

① 믿음 → 信用　❷ 예금 → 預金

解　答

③ 보험 → 保険　　　④ 잔돈 → 小銭

Point 맡기다は「預ける」で、맡긴は語幹にㄴが付いた形の動詞の過去連体形になっている。正答は②の예금「預金」。問題文の中にある돈「お金」という単語につられたのか④の잔돈を選んだ受験者が若干多かったが、これは「小銭」や「おつり」なので誤答。

4）가게에서 일하는 사람을 말합니다.　**6**

→ お店で働く人を言います。

❶ 점원 → 店員　　　② 손녀 → 孫娘
③ 손자 → 孫　　　④ 회원 → 会員

5）몸을 깨끗하게 씻기 위해 여기에 갑니다.　**7**

→ 身体をきれいに洗うためにここに行きます。

❶ 목욕탕 → 浴場　　　② 유원지 → 遊園地
③ 면세점 → 免税店　　　④ 박물관 → 博物館

6）어떻게 할 방법이 없다는 뜻입니다.　**8**

→ どうにかする方法がないという意味です。

① 귀가 멀다 → 耳が遠い
② 그릇이 크다 → 器が大きい
③ 눈치가 없다 → 気が利かない
❹ 대책이 안 서다 → なす術がない

Point ③を選んだ受験者が多かったが、「気が利かない」のと「どうにかする方法がない」のは同じとは言えないので誤答。④の대책이 안 서다は直訳すると「対策が立たない」で、「なす術がない」という意味。よって④が正答。

3 短い文を２回読みます。引き続き4つの選択肢も２回ずつ読みます。応答文として適切なものを①～④の中から１つ選んでください。解答はマークシートの９番～12番にマークしてください。次の問題に移るまでの時間は30秒です。

1）혼자 산다고 들었는데 방이 생각보다 깨끗하네요. **9**
→ 一人暮らしと聞いたのですが、部屋が思ったよりきれいですね。

① 저는 빵보다 밥을 좋아합니다.
→ 私はパンよりご飯が好きです。

❷ 손님이 오는데 당연히 청소를 해 놓았죠.
→ お客が来るので当然掃除をしておきましたよ。

③ 맞아요. 동생하고 같이 살아요.
→ そうです。弟(妹)と一緒に住んでいます。

④ 고민했는데 이번에는 안 사기로 했어요.
→ 悩んだけど、今回は買わないことにしました。

解　答

2）파마하려고 왔어요. 예쁘게 해 주세요.　10

→ パーマをかけようと思って来ました。きれいにしてください。

① 네, 찍겠습니다. 하나 둘 셋.

→ はい、撮りますよ。いち、にのさん。

② 호텔은 이미 정하셨습니까?

→ ホテルはもう決められましたか？

③ 죄송해요. 그 책은 다 팔렸어요.

→ 申し訳ありません。その本は全部売れてしまいました。

❹ 알겠습니다. 머리는 안 자르세요?

→ わかりました。髪はカットされませんか？

3）물가는 오르는데 우리 회사 임금이 안 오르네요.　11

→ 物価は上がるのにうちの会社の給料は上がりませんね。

❶ 다른 직장으로 옮기는 것이 어때요?

→ 他の職場に移るのはどうですか？

② 등산 좋아하면 산에 같이 갈래요?

→ 登山が好きならば、山に一緒に行きませんか？

③ 왕은 절대적인 힘을 가지고 있죠.

→ 王は全体的な力を持っていますよ。

④ 계단을 걸어서 올라가면 건강에 좋습니다.

→ 階段を歩いて上がると健康に良いです。

Point 물가「物価」と임금「賃金」という単語を聞き取れると、会社の給料

が上がらないことを嘆いてることが分かる。よって正答は他の職場に移る(옮기다)ことを勧めている①。③を選んだ受験者が誤答の中では多かった。왕「王」と似た意味の임금「君主」という単語があるが、問題文の임금とは別物で、関係性がない。

4) 그 작가의 대표작이 뭐라고 생각하세요?　**12**

→ その作家の代表作はなんだと思われますか？

① 축구가 아니라 야구 국가 대표 선수예요.

→ サッカーではなく野球の国家代表選手です。

② 그래요? 오늘은 날씨가 더워서 죽겠어요.

→ そうですか？　今日は暑くて我慢できません。

③ 글쎄요. 그 가게는 못 가 봐서 모르겠어요.

→ そうですねえ。その店は行ったことがないので分かりません。

❹ 글쎄요. 작품이 다 훌륭해서 고르기 어렵네요.

→ そうですねえ。作品が全部素晴らしいので選びにくいですね。

4 問題文を2回読みます。文の内容と一致するものを①～④の中から1つ選んでください。解答はマークシートの13番～16番にマークしてください。次の問題に移るまでの時間は30秒です。

1)　**13**

解　答

회화는 좋아하지만 문법을 싫어하는 학생들이 많습니다. 회화는 상대가 있어서 재미있는 반면에 문법은 책과 마주앉아야 하니 재미없어하는 것도 이해가 갑니다. 그러나 문법을 알아야 더 정확하게 말할 수 있습니다.

【日本語訳】

会話は好むけど文法を嫌う学生たちがたくさんいます。会話は相手がいて面白い反面、文法は本と向き合わなければならないので、つまらなく思うのも理解できます。けれど文法を知ってこそより正確に話すことができます。

① 最近では会話より文法が好きな学生が多い。
② 文法を知っていても会話が上達するとは限らない。
③ 会話を上達させるコツは、たくさん話すことだ。
❹ 文法的な知識があれば、より正確に話すことができる。

2）　**14**

김치는 보통 배추로 만들지만 양배추로 만드는 김치도 있습니다. 양배추 김치는 배추 김치보다 달고 맛도 나쁘지 않습니다. 특히 여름에는 배추보다 양배추를 쉽게 살 수 있으니 양배추 김치를 만들어 보는 것을 권하고 싶습니다.

【日本語訳】

キムチは普通白菜で作りますが、キャベツで作るキムチもあります。キャベツのキムチは白菜のキムチより甘く、味も悪くありません。特に夏には白菜よりキャベツを容易に買うことができるので、キャベツのキムチを作ってみることをお勧めしたいです。

① 韓国では白菜キムチよりキャベツのキムチの方が一般的だ。
② 白菜キムチはキュウリのキムチより甘くて美味しい。
③ 冬には白菜が手に入りにくい。
❹ 夏にはキャベツのキムチがお勧めだ。

3） 15

남 : 주문하시겠습니까?
여 : 시원한 맥주 하나 주세요.
남 : 죄송합니다. 저희 가게는 술을 팔지 않습니다,
여 : 그래요? 할 수 없네요. 그러면 콜라 주세요.

【日本語訳】

男：ご注文なさいますか？
女：冷たいビールを一つください。
男：申し訳ありません。当店ではお酒を売っておりません。
女：そうですか？　しょうがないですね。ではコーラをください。

解　答

① この店ではコーラは売っていない。

❷ 女性は冷たいビールを飲みたかった。

③ 女性は違う店に行くことにした。

④ 女性はビールとコーラを頼んだ。

4）　16

남 : 주말엔 주로 뭘 하세요?

여 : 주말에도 일을 해요. 보통 평일에 쉬는 날이 있거든요.

남 : 그래요? 그러면 친구들과 휴일이 안 맞겠네요.

여 : 그래서 언제나 혼자서 지낼 수밖에 없어요.

【日本語訳】

男：週末は主に何をなさるのですか?

女：週末も働きます。普段は平日に休む日があるんですよ。

男：そうですか？　それでは友人たちと休日が合わないでしょうね。

女：だからいつも一人で過ごすしかないんですよ。

① 女性の仕事は土日が休みである。

② 女性は休日によく友達と出かける。

❸ 女性は友達と休みが合わない。

④ 女性は週末一人で過ごすことが多い。

Point 男性の問いに対し女性は週末も働き、平日に休みがあると話している。それなので休みが友人たちと合わず、一人で過ごしていると話していているので正答は③。④を選んだ受験者も多かったが、平日の休みの日を一人で過ごしていて、週末は働いているので誤答。

5 問題文を２回読みます。文の内容と一致するものを①～④の中から１つ選んでください。解答はマークシートの17番～20番にマークしてください。次の問題に移るまでの時間は30秒です。

1）　　17

요즘 집에서 식물을 기르는 사람이 늘고 있다고 합니다. 식물은 물 없이 자라지 못합니다. 그러나 물을 너무 많이 주면 뿌리가 썩습니다. 모든 일에는 적당한 양이 있습니다. 꼭 필요한 것도 지나치면 나쁜 영향을 주게 됩니다.

【日本語訳】

最近家で植物を育てている人が増えているといいます。植物は水なしでは育ちません。けれども水をたくさんあげすぎると根が腐ります。すべての物事には適当な量があります。必ず必要なものも、程度がすぎると悪い影響を与えることになります。

解　答

① 식물을 잘 기르자면 무조건 물을 많이 줘야 한다.

→ 植物をうまく育てようと思ったら、無条件に水をたくさん与えないといけない。

② 햇빛만 있으면 식물은 잘 자란다.

→ 太陽の光さえあれば、植物はよく育つ。

③ 식물은 사람에게 나쁜 영향을 줄 수도 있다.

→ 植物は、人間に悪い影響を与えることもある。

❹ 식물에 적당한 양의 물을 주는 게 중요하다.

→ 植物に適当な量の水を与えることが重要である。

Point 植物に水をやりすぎると根が腐ってしまうという話から、必要なものも過剰だと悪い影響を与えるという話。それなので正答は적당한 양「適当な量」が重要だという④。問題文の最後の나쁜 영향을 주게 됩니다を聞いて③を選んだと思われる受験者も多かったが、植物が人間に悪い影響を与えるとは言っていないので誤答。

2）　　18

바쁘신 가운데 저희 결혼식에 와 주셔서 감사합니다. 저희들이 결혼할 수 있도록 도와주신 여러 선생님들 정말 감사드립니다. 서로 사랑하며 힘을 합쳐 살아가는 모습을 지켜봐 주시기 바랍니다.

【日本語訳】

お忙しい中、私たちの結婚式に来てくださってありがとうございます。私たちが結婚できるように手助けしてくださった皆さま、本当にありがとうございます。互いに愛しあい、力を合わせて暮らしていく姿を見守ってくださるようお願いいたします。

① 선생님 덕분에 학교를 졸업했다.
→ 先生のおかげで学校を卒業した。

❷ 두 사람은 부부가 되었다.
→ 二人は夫婦になった。

③ 형제가 힘을 합쳐 크게 성공했다.
→ 兄弟が力を合わせて大きく成功した。

④ 결혼식장은 학교 옆에 있다.
→ 結婚式場は学校の隣にある。

3) 19

남 : 팀장님과 무슨 일 있었어요?
여 : 제가 잘못한 게 좀 있어서 팀장님께서 화가 나셨어요.
남 : 빨리 죄송하다고 말씀 드려야겠네요.
여 : 그러고 싶은데 방금 출장 가셔서 다음 주 월요일까지 못 봬요.

【日本語訳】

男 : チーム長と何かあったのですか?
女 : 私がちょっとミスをしでかして、チーム長が怒ってらっしゃるんです。

解　答

男：早く謝らないといけないですね。
女：そうしたいのですが、ちょうど出張に行かれて、来週の月曜日までお会いできないんですよ。

① 남자와 여자는 작은 일을 가지고 싸우고 있다.
→ 男性と女性は小さなことで喧嘩している。

② 팀장은 여자를 많이 칭찬했다.
→ チーム長は女性を大いに褒めた。

❸ 여자는 다음 주 월요일까지 팀장을 만나지 못한다.
→ 女性は来週の月曜日までチーム長に会えない。

④ 남자는 여자에게 미안해한다.
→ 男性は女性に申し訳なく思っている。

4）　20

여：연예인과 친해지고 싶어서 통역 일을 하고 싶어요.
남：젊은 여성은 남성 연예인 통역을 하기가 어려운 거 모르세요?
여：이유가 뭐죠? 저 잘할 수 있을 것 같은데요.
남：통역사와 연예인이 친하게 이야기하는 모습을 보기 싫어하는 사람이 많아서래요.

【日本語訳】

女：芸能人と親しくなりたいので通訳の仕事をしたいです。

男：若い女性は男性芸能人の通訳をするのが難しいのをご存じないのですか？

女：理由はなんですか？　私上手にできると思いますけど。

男：通訳者と芸能人が親しく話す姿を見たくない人が多いからだそうです。

① 여자는 현재 통역사로 일하고 있다.

→ 女性は現在、通訳者として働いている。

② 통역이 없어도 일본말을 잘하는 한국 연예인이 많다.

→ 通訳がいなくても、日本語が上手な韓国の芸能人が多い。

③ 남자는 연예인을 싫어한다.

→ 男性は芸能人が嫌いだ。

❹ 여자는 통역을 잘할 자신이 있다.

→ 女性は上手に通訳をする自信がある。

Point 対話文の１行目で女性が通訳として働きたいと言っているので①は誤答。②は、対話文の中で日本語の話は出てこないので誤答。また男性が芸能人が嫌いなのではなく、ファンが若い女性の通訳者と男性芸能人が親しく話す姿を見たくないといっているので③も誤答。３行目で女性が잘할 수 있을 것 같은데요と言っているので④が正答。

解　答　（＊白ヌキ数字が正答番号）

筆記 問題と解答

1 下線部を発音どおり表記したものを①～④の中から１つ選びなさい。

1）우선 책상 정리 할까요?　**1**

→ まず机の整理をしましょうか？

① [절리]　❷ [정니]　③ [정이]　④ [전니]

Point ㄹの鼻音化に関する問題。終声ㄱ、ㅁ、ㅂ、ㅇの後ろに続く初声のㄹは発音が[ㄴ]に変化する。よって正答は②。①と④を選んだ受験者も一定数いたが、①のような流音化はㄴがㄹと並んだ時にのみ起きる。また④のようにㅇパッチムがㄴパッチムに変わる発音変化は存在しない。

2）생일이 몇 월 며칠이에요?　**2**

→ 誕生日は何月何日ですか？

❶ [며둴]　② [며췰]　③ [며쉴]　④ [며뤌]

3）축구를 하다가 발가락을 다쳤습니다.　**3**

→ サッカーをしていて足の指を負傷しました。

① [발가라글]　② [발카라글]

❸ [발까라글]　④ [발라라글]

2 (　　　)の中に入れるのに適切なものを①～④の中から1つ選びなさい。

1) 이야기가 재미있어서 나도 모르게 (4)이 나왔다.
→ 話が面白くて思わず(4)が出た。

① 손톱 →(手の)爪　② 물음 →問い
③ 이웃 →お隣　❹ 웃음 →笑い

2) 좀 더 상황을(5)할 것 같다.
→ もう少し状況を(5)ならないようだ。

① 다뤄야 → 扱わなければ　② 놓쳐야 → 逃さなければ
③ 지워야 → 消さなければ　❹ 지켜봐야 → 見守らなければ

Point 正答率の低かった問題。正答は④の지켜보다「見守る」。誤答がそれぞれ一定数あったことから、問題文の中の상황「状況」という単語の意味を分かるかが正誤を分けたと考えられる。

3) (6) 무슨 말을 하는지 모르겠다.
→ (6)何の話をしているのか分からない。

① 꽤 → ずいぶん　② 비록 → たとえ
③ 제대로 → まともに　❹ 도대체 → いったい

Point 副詞を問う問題。問題文が「何の話をしているのか分からない」とあるので、括弧に入るのは④の도대체「いったい」が正答。도대체は後

解　答

ろに疑問詞や疑問文が続く。ここでは무슨が接続している。③を選んだ受験者も少なからずいたが、제대로の後ろに무슨と続くのは不自然なので誤答。

4）A：목이 좀 마른데요.
B：（ 7 ）에서 수박이라도 꺼내 먹어요.
→ A：喉がちょっと乾いたのですが。
B：（ 7 ）からスイカでも取り出して食べなさい。

① 노트북 → ノート型パソコン ❷ 냉장고 → 冷蔵庫
③ 자유 → 自由 ④ 된장 → 味噌

5）A：우리 팀 이겼어요? 졌어요?
B：저도 결과가（ 8 ）
→ A：私たちのチームは勝ったんですか？　負けたんですか？
B：私も結果が（ 8 ）

① 잘생겼어요. → 顔立ちが良いです。
② 주고받았어요. → やりとりしました。
③ 칠했어요. → 塗りました。
❹ 궁금해요. → 気になります。

6）A：왜 그만 먹어요?
B：오늘은 제가（ 9 ）
A：어머, 어디 아픈 거예요?

→ A：どうしてもう食べないのですか？
B：今日は私（ 9 ）
A：あら、どこか具合が悪いんですか？

❶ 밥맛이 없어서요. → 食欲がないので。
② 입이 가벼워서요. → 口が軽いので。
③ 입이 무거워서요. → 口が堅いので。
④ 숟가락을 들어서요. → スプーンを持ったので。

Point 対話文の１行目でAが、もう食べないのかと聞いた後、３行目で心配をしているので、Bが食欲がないことが分かる。밥맛이 없다が「食欲がない」という意味なので①が正答。直訳すると「口が重い」になる③の입이 무겁다を選んだ受験者が一定数いたが、これは「口が堅い」という意味になるので誤答。その反対の意味になる「口が軽い」が②の입이 가볍다。

3 （　　）の中に入れるのに適切なものを①～④の中から１つ選びなさい。

1）다 내 잘못이니까 뭐（ 10 ）할 말이 없다.
→ 全部私の過ちなので、何（ 10 ）言う事ができない。

① 나 → ～や　② 마다 → ～(の)度に
❸ 라고 → ～と　④ 만큼 → ～くらい

Point 括弧の直前の뭐は疑問詞무엇「何」の口語体。③の라고は「～と、～だと（言う…）」の意味。正答は③で뭐라고 할 말이 없다「何とも言う

解　答

事が出来ない」。①を選んだ受験者も多かったが、나は「～や；～か」なので誤答。커피나 홍차라도 마실까요?で「コーヒーか紅茶でも飲みましょうか？」となる。

2）핸드폰을（ 11 ）길을 걸으면 위험하다.
→ 携帯電話を（ 11 ）道を歩くと危険だ。

❶ 보면서 → 見ながら　② 보자고 → 見ようと
③ 보다가는 → 見ていると　④ 보든지 → 見ようが

3）날씨가（ 12 ）집에만 있으면 안 된다.
→ 天気が（ 12 ）家にだけいてはいけない。

① 춥다 보니 → 寒いので
❷ 춥다고 해서 → 寒いからといって
③ 추운 듯이 → 寒いように
④ 추운 한편 → 寒い一方で

4）A：왜 어젯밤에 전화를 안 받았어요?
B：너무 피곤해서 집에（ 13 ）잤거든요.
→ A：何で昨夜電話に出なかったんですか？
B：とても疲れていて、家に（ 13 ）寝てしまったんです。

① 들어가며 → 入りながら
② 들어가자면 → 入ろうと思ったら

③ 들어가도록 → 入るように

❹ 들어가자마자 → 入るや否や

5）A：기다려도 안 오는데 그냥 가시죠.
B：연락도 없이（ 14 ）조금만 더 기다려 봐요.

→ A：待っても来ないので、そのまま行きましょう。
B：連絡もなく（ 14 ）もうちょっと待って見ましょう。

① 안 올 것 같습니다. → 来ないみたいです。

② 안 올지도 모릅니다. → 来ないかも知れません。

③ 틀림없이 안 올 거예요. → 間違いなく来ないでしょう。

❹ 안 올 리가 없습니다. → 来ないはずがありません。

Point 待っても来ないから行こうというAの提案に対して、もうちょっと待ってみようとBが反対意見を述べているので、最も自然な対話の流れは④。②を選んだ受験者も多かったが、来ないかも知れないと言った後に、待とうと言うのは不自然な対話。

4 文の意味を変えずに、下線部の言葉と置き換えが可能なものを①～④の中から1つ選びなさい。

1）동료들과의 식사 모임이 <u>취소</u>되었다. 15

→ 同僚たちとの食事会が<u>取消し</u>になった。

❶ 중지 → 中止　　② 보호 → 保護

解　答

③ 방해 → 妨害　　　④ 제공 → 提供

2）선거에 관한 질문이 나오자 그는 기자의 말을 막았다. 16

→ 選挙に関する質問が出ると彼は記者の話を遮った。

① 시켰다 → させた　　　② 아꼈다 → 大事にした

❸ 끊었다 → 切った　　　④ 들었다 → 聞いた

Point 問題文の말을 막다は「話を遮る」とか「発言を阻む」という意味。それなので正答は③。４級の語彙である듣다「聞く」を使った④が誤答の中でも最も多かったが、問題文の막다の意味が分かれば避けることのできる間違い。

3）A：오늘 본 일은 절대로 다른 사람한테 말하면 안 돼요.

B：걱정 마세요, 사장님. 17

→ A：今日見たことは、絶対に他の人に言ってはなりません。

B：心配なさらないでください、社長。

① 입을 딱 벌리면 → 口をぽかんと開けては

❷ 입 밖에 내면 → しゃべっては

③ 입에도 못 대면 → 口にすることもできなくては

④ 입을 맞추면 → 口を合わせては

Point 입「口」という言葉を用いた慣用句に関する問題。問題文の말하다「言う」と同じ意味になるのは、「口外したら」の②で、これが正答。ただ話すのではなく秘密を話すというニュアンスも。誤答の中では①を選んだ受験者が多く、確かに①も입을 벌리다「口を開く」だが、これは話すためではなく、びっくりした時などにぽかんと開くという意味。

4）A：이 고구마 정말 맛있네요.
B：이걸 키우려고 얼마나 땀을 흘렸는데요. 18

→ A：このさつまいも本当においしいですね。
B：これを育てるためにたくさん汗を流しましたよ。

① 사 먹었는데요 → 買って食べましたよ
② 돌아봤는데요 → 見回りましたよ
③ 운동했는데요 → 運動しましたよ
❹ 고생했는데요 → 苦労しましたよ

5 2つの（　　　）の中に入れることができるものを①～④の中から1つ選びなさい。

1）・담배（연기）때문에 목이 아프다.
→ タバコの（煙）のせいで喉が痛い。
・그 배우의（연기）에 감동을 받았다. 19
→ その俳優の（演技）に感動を受けた。

① 냄새 → 匂い　② 모습 → 姿
❸ 연기 → 煙；演技　④ 감기 → 風邪

2）・서둘러서 뛰어오다가 지갑을（흘렸다）.
→ 急いで走ってくる途中で財布を（落とした）。

解　答

・슬픈 영화를 보고 눈물을 (흘렸다).　**20**

→ 悲しい映画を見て涙を(流した)。

❶ 흘렸다　→ 落とした；流した
② 잃어버렸다　→ 無くした
③ 참았다　→ 我慢した
④ 놓고 왔다　→ 置いてきた

Point 흘리다という単語にはよく知られた「流す」という意味の他に「落とす;無くす」という意味がある。よって正答は①。④を選んだ受験者も一定数いたが、놓고 오다には涙の後に続くような意味はないので誤答。

3）・사람들의 (눈)을 끌 만큼 언니는 예쁘다.

→ 人々の(目)を引くくらい姉は綺麗だ。

・언니는 (눈)이 너무 높아서 남자 친구가 없다.　**21**

→ 姉は(目)が高すぎて彼氏がいない。

① 관심　→ 関心　　② 마음　→ 心
❸ 눈　→ 目　　④ 발　→ 足

6 対話文を完成させるのに最も適切なものを①～④の中から1つ選びなさい。

1) A：힘들어 보이시네요. 무슨 일 있으세요?
B：요즘 잠을 잘 못 자서요.（ **22** ）
A：와, 축하해요. 아빠가 되셨군요.
→ A：疲れていらっしゃるようですね。何かございましたか？
B：最近よく眠れないんですよ。（ **22** ）
A：わぁ、おめでとうございます。パパになられたんですね。

① 다음 주에 자격 시험이 있어요.
→ 来週、資格の試験があるんですよ。
❷ 지난주에 아이가 태어났거든요.
→ 先週、子供が生まれたんですよ。
③ 몸이 안 좋아서 병원에 다니고 있어요.
→ 体調が悪くて、病院に通っているんです。
④ 장사가 잘 안 돼서 고민이 많아요.
→ 商売がうまくいかなくて、悩みが多いです。

2) A：손님, 이 가방은 어때요?
B：（ **23** ）
A：현금으로 계산하신다면 조금 싸게 해 드릴 수 있습니다.
→ A：お客様、このカバンはどうですか？
B：（ **23** ）
A：現金でお支払いをされるのでしたら、少し安くして差し上げる

解　答

ことができます。

❶ 마음에 드는데 생각보다 가격이 좀 비싸네요.
→ 気に入ったのですが、思ったより価格が少し高いですね。

② 마음에 드는데 좀 큰 것 같아요.
→ 気に入ったのですが、ちょっと大きいみたいです。

③ 좋은데 이거 말고 다른 색도 있어요?
→ いいのですが、これではなく他の色もありますか?

④ 좋은데 오늘은 구두를 사러 왔거든요.
→ いいのですが、今日は靴を買いに来たんですよ。

3）A：K－POP 콘서트 같이 안 갈래요?
B：（ **24** ）
A：인터넷으로 이미 구해 두었으니까 걱정 마세요.
→ A：K－POPのコンサートに一緒に行きませんか?
B：（ **24** ）
A：インターネットでもう買っておいたから、心配しないでください。

❶ 좋죠. 그런데 티켓 구하기가 힘들지 않아요?
→ いいですね。だけどチケットを買うのが難しくないですか?

② 콘서트는 언제 있나요?
→ コンサートはいつありますか?

③ 같이 가요. 근데 어디서 하나요?
→ 一緒に行きましょう。でもどこでやるのですか?

④ 됐어요. 저는 별로 관심이 없어서요.

→ 結構です。私は特に関心がないですから。

4) A : 일본 출장 준비는 다 됐어요?

B : (**25**)

A : 그분들이 한국말을 잘하니까 문제 없을 거예요.

→ A : 日本出張の準備は全部できましたか？
B : (**25**)
A : あの方たちは韓国語が上手なので、心配ないと思いますよ。

① 아뇨. 아직 선물을 못 샀어요.

→ いいえ。まだお土産を買ってないんですよ。

② 아뇨. 맛있는 초밥 집을 지금 알아보고 있어요.

→ いいえ。おいしい寿司屋を今探しているところです。

③ 네. 어디 괜찮은 숙소를 아십니까?

→ はい。どこかいい宿をご存知ですか？

❹ 네. 그런데 말이 안 통할 것 같아서 불안해요.

→ はい。でも言葉が通じないみたいで不安です。

解 答

7 下線部の漢字と同じハングルで表記されるものを①～④の中から1つ選びなさい。

1）資格 → 자격 【26】

❶ 字幕 → 자막　② 事実 → 사실
③ 差異 → 차이　④ 一次 → 일차

2）計算 → 계산 【27】

① 警察 → 경찰　② 開幕 → 개막
❸ 鶏卵 → 계란　④ 経済 → 경제

3）副詞 → 부사 【28】

① 複雑 → 복잡　② 封筒 → 봉투
③ 幸福 → 행복　❹ 否定 → 부정

Point 正答率の低かった問題。正答は④だが、①を選んだ受験者が最も多く、次に③が多かったが、共に誤答。選択肢①、③は下線部の日本語の読みが「ふく」で問題の「副」と一緒だが、韓国・朝鮮語の読みは異なるので要注意。

8 文章を読んで【問１】〜【問２】に答えなさい。

일본에서는 보통 무지개*를 7가지 색깔로 그립니다. 그러나 무지개의 색깔 수는 나라마다 다릅니다. 미국에서는 6가지, 독일*에서는 5가지 색으로 그립니다. 또한 같은 지역에서도 시기에 따라 변합니다. 일본에서도 이전에는 사람들이 무지개를 5가지 색깔로 생각했습니다. (29) 서로 다른 무지개가 뜨는 것은 아닙니다. 즉* 나라나 시대가 다르면 무지개를 서로 다르게 본다는 것입니다.

*) 무지개：虹、독일：ドイツ、즉：すなわち

[日本語訳]

日本では普通、虹を７つの色で描きます。けれど虹の色は国によって異なります。アメリカでは６つ、ドイツでは５つの色で描きます。また同じ地域でも時期によって変わります。日本でも以前は人々が虹を５つの色と考えました。(29)それぞれ異なる虹が出るのではありません。つまり国や時代が変わると、虹をそれぞれ異なる見方をするということです。

【問１】 (29)に入れるのに最も適切なものを①〜④の中から１つ選びなさい。 29

① 그러니 → だから

解答

❷ 그렇다고　→ だからといって

③ 그러므로　→ それゆえ

④ 그러다　　→ そうして

Point 適切な接続詞を問う問題。前後の文章を見ると、虹の描き方が違うからといって現れる虹自体が違うのではないという内容なので、正答は②の그렇다고「だからといって」。①の그러니「だから」を選んだ受験者も少なからずいたが、前後の文章が合わなくなるので誤答。

【問２】 本文の内容と一致するものを①～④の中から１つ選びなさい。 **30**

① 독일 사람들이 가장 많은 색깔로 무지개를 그린다.
　→ ドイツ人たちが最も多い色で虹を描く。

❷ 지역이나 시대에 따라 무지개는 다르게 그려진다.
　→ 地域や時代によって、虹は異なって描かれる。

③ 일본에서는 전에 무지개를 7가지 색깔로 그렸었다.
　→ 日本では以前、虹を７つの色で描いていた。

④ 지역에 따라 다른 무지개가 뜬다.
　→ 地域によって、異なる虹が出る。

9 対話文を読んで【問１】～【問２】に答えなさい。

창　민：히카루 씨, 우리 오늘 저녁에는 뭘 먹으러 갈까요?
히카루：글쎄요, 전 아무거나 다 괜찮은데요. 그런데 또 비가

오네요.

창　민 : 그러면 (31) 부침개를 먹는 건 어때요?

히카루 : 좋아요. 그런데 비 오는 날에 부침개를 먹는 이유라도 있나요?

창　민 : 부침개를 부치는* 소리가 비가 내리는 소리와 비슷해서 그렇대요.

히카루 : 그럼 부침개를 안주로 막걸리 한잔 하러 가요.

*) 부치다 : (油を引いて)焼く

[日本語訳]

チャンミン : ひかるさん、私たち今日、夕食には何を食べに行きましょうか?

ひかる : そうですね、私は何でも大丈夫ですよ。ところでまた雨が降っていますね。

チャンミン : それでは(31)チヂミを食べるのはどうですか?

ひかる : いいですね。だけど雨が降る日にチヂミを食べる理由でもあるのですか?

チャンミン : チヂミを焼く音が雨の降る音と似ているからだそうです。

ひかる : ではチヂミを肴(さかな)にマッコリでも飲みに行きましょう。

解 答

【問1】（ 31 ）に入れるのに最も適切なものを①～④の中から1つ選びなさい。 31

① 오랜만에 만났는데 → 久しぶりに会ったので
② 먹을 거 못 정했는데 → 食べる物を決めていないので
③ 날씨도 좋은데 → 天気も良いので
❹ 비가 오니까 → 雨が降るので

【問2】 本文の内容と一致するものを①～④の中から1つ選びなさい。 32

① 히카루는 집에서 부침개를 부치자고 했다.
→ ひかるは家でチヂミを焼こうと言った。

② 창민은 비 오는 날에 부침개를 즐기는 이유를 모른다.
→ チャンミンは雨が降る日にチヂミを楽しむ理由を知らない。

❸ 비 오는 날에 부침개를 즐기는 사람이 있다.
→ 雨が降る日にチヂミを楽しむ人たちがいる。

④ 비가 내리는 소리가 막걸리를 마시는 소리와 비슷하다.
→ 雨の降る音がマッコリを飲む音と似ている。

10 文章を読んで【問１】～【問２】に答えなさい。

제주도*는 한국에서 유명한 관광지이다. 해외여행이 자유롭지 못한 시기에는 많은 사람들이 신혼여행*으로 제주도에 갔었고, 현재도 많은 관광객들이 제주도의 자연을 즐기기 위해 이 섬을 찾는다. 또한 제주도는 (33) 유명한 관광지로 많은 외국 손님들이 찾는다. 최근에는 제주도로 이사하는 사람들이 많아서 인구도 늘고 있다. 건물도 새로 생기고 도로도 넓어지는 등 빠른 속도로 발전하고 있다. 그렇다고 좋은 일만 있는 것은 아니다. 빠른 개발은 제주도의 자연에 안 좋은 영향을 미치기도 한다. 제주도의 자연을 지키지 못하면 제주도를 찾는 사람도 줄 것이다.

*) 제주도：済州島、신혼여행：新婚旅行

[日本語訳]

チェジュ(済州)島は韓国で有名な観光地だ。海外旅行が自由でなかった時代には多くの人たちが新婚旅行でチェジュ島に行っていたし、今も多くの観光客がチェジュ島の自然を楽しむためにこの島を訪れる。またチェジュ島は(33)有名な観光地で、多くの外国人客が訪れる。最近ではチェジュ島に引っ越す人が多く、人口も増えている。建物も新たに立てられ、道路も広くなるなど、速い速度で発展している。だからといって良いことばかりがあるわけではない。急速な開発は、チェジュ島の自然に悪い影響を及

解答

ぼしもする。チェジュ島の自然を守る事ができなければ、チェジュ島を訪れる人も減るだろう。

【問１】（ 33 ）に入れるのに最も適切なものを①～④の中から１つ選びなさい。 33

① 국제적으로는 → 国際的には
❷ 국제적으로도 → 国際的にも
③ 국제적으로만 → 国際的にだけ
④ 국제적으로든 → 国際的であろうと

【問２】本文の内容と一致するものを①～④の中から１つ選びなさい。 34

① 제주도 관광객들은 대부분이 한국 사람이다.
→ チェジュ島の観光客は、大部分が韓国人だ。

② 제주도 인구는 옛날 그대로이다.
→ チェジュ島の人口は昔のままだ。

③ 관광객들을 위해 더 많은 건물을 지어야 한다.
→ 観光客のために、より多くの建物を建てなければならない。

❹ 제주도의 자연을 지켜야 앞으로도 관광객들이 올 것이다.
→ チェジュ島の自然を守ってこそ、これからも観光客が来るだろう。

Point 問題文の最後の文章にある줄다「減る」という言葉がポイント。自然を守ることができないと観光客が減ると書いてあるので、正答は④。

③を選んだ受験者も一定数いたが、むしろ建物を建てて自然が壊されるという弊害について論じている文章なので誤答。

11 下線部の日本語訳として適切なものを①～④の中から１つ選びなさい。

1）해외여행을 가기 전에 환전할까 말까 고민 중이다. 35

→ 海外旅行に行く前に、両替するかしないか悩んでいる。

① 行くか行かないか
② 歓迎してくれないのではないか
③ 返品しようと思って
❹ 両替するかしないか

2）돈도 없으면서 집을 사 주겠다고 큰소리를 친다. 36

→ お金もないくせに家を買ってやると大口を叩いている。

❶ 大口を叩いている。　② 大声で話している。
③ すぐに弱音を吐く。　④ 思いっきり叩く。

3）술을 너무 많이 마셔서 혀가 안 돌아간다. 37

→ お酒を飲みすぎて、ろれつが回らない。

解　答

① うるさく騒ぐ。　　② なかなか家に帰らない。
❸ ろれつが回らない。　　④ まっすぐ立てない。

12 下線部の訳として適切なものを①～④の中から１つ選びなさい。

1）この地域は近年、日に日に発展している。　38
→ 이 지역은 최근 년간 하루가 다르게 발전하고 있다.

① 날에 날에
→ ×

❷ 하루가 다르게
→ 日に日に

③ 알고보니
→ 分かってみると

④ 한 발 늦게
→ 一足遅く

Point 正答は②だが①を選んだ受験者も多かった。確かに「日」は날、助詞の「～に」は에だが、「日に日に」をそのまま直訳した날에 날에という言葉は存在しない。②の하루가 다르게(【直訳：一日が違うように】)が日本語の「日に日に」の訳としては適切。

2）また約束を破るなんて、<u>我慢にも程がある。</u> 39

→ 또 약속을 어기다니 <u>참는 데도 한계가 있다.</u>

❶ 참는 데도 한계가 있다.

→ 我慢にも程がある。

② 우는 소리를 한다.

→ 泣き言を言う。

③ 때를 놓쳤다.

→ 時を逃した。

④ 눈치가 없다.

→ 気が利かない。

3）今回のプロジェクトチームのメンバーは、<u>息がぴったりだ。</u>

→ 이번 프로젝트 팀은 <u>손발이 잘 맞는다.</u> 40

① 앞뒤가 잘 맞는다.

→ つじつまがちゃんと合う。

② 숨이 딱 찬다.

→ ×

③ 한숨 쉰다.

→ 一息つける。

❹ 손발이 잘 맞는다.

→ 息がぴったりだ。

解　答

Point ②を選んだ受験者が多かったが、問題文に「息」という言葉があるからといって単純に숨という言葉が入っている選択肢を選んではいけない。숨이 차다は「息が上がる」という意味だが、副詞の딱「ぴったり」と合わせて숨이 딱 찬다という表現はしない。④손발이 잘 맞는다(【直訳：手足がよく合う】)が日本語の「息がぴったりだ」という意味の慣用句で正答。日本語と韓国・朝鮮語では表現方法が異なる慣用句も多いので注意が必要。

正答と配点

3級聞きとり 正答と配点

●40点満点

問題	設問	マークシート番号	正　答	配　点
1	1)	1	②	2
	2)	2	②	2
2	1)	3	③	2
	2)	4	④	2
	3)	5	②	2
	4)	6	①	2
	5)	7	①	2
	6)	8	④	2
3	1)	9	②	2
	2)	10	④	2
	3)	11	①	2
	4)	12	④	2
4	1)	13	④	2
	2)	14	④	2
	3)	15	②	2
	4)	16	③	2
5	1)	17	④	2
	2)	18	②	2
	3)	19	③	2
	4)	20	④	2
合　計				40

3級筆記　正答と配点

●60点満点

問題	設問	マークシート番号	正答	配点
1	1)	1	②	1
	2)	2	①	1
	3)	3	③	1
2	1)	4	④	1
	2)	5	④	1
	3)	6	④	1
	4)	7	②	1
	5)	8	④	1
	6)	9	①	1
3	1)	10	③	1
	2)	11	①	1
	3)	12	②	1
	4)	13	④	1
	5)	14	④	1
4	1)	15	①	2
	2)	16	③	2
	3)	17	②	2
	4)	18	④	2
5	1)	19	③	1
	2)	20	①	1
	3)	21	③	1

問題	設問	マークシート番号	正答	配点
6	1)	22	②	2
	2)	23	①	2
	3)	24	①	2
	4)	25	④	2
7	1)	26	①	1
	2)	27	③	1
	3)	28	④	1
8	問1	29	②	2
	問2	30	②	2
9	問1	31	④	2
	問2	32	③	2
10	問1	33	②	2
	問2	34	④	2
11	1)	35	④	2
	2)	36	①	2
	3)	37	③	2
12	1)	38	②	2
	2)	39	①	2
	3)	40	④	2
合　計				60

準2級

◎準２級(中級後半)のレベルの目安と合格ライン

■レベルの目安

60分授業を240～300回受講した程度。日常的な場面で使われる韓国・朝鮮語に加え、より幅広い場面で使われる韓国・朝鮮語をある程度理解し、それらを用いて表現できる。

・様々な相手や状況に応じて表現を選択し、適切にコミュニケーションを図ることができる。

・内容が比較的平易なものであれば、ニュースや新聞記事を含め、長い文やまとまりを持った文章を大体理解でき、また日常生活で多く接する簡単な広告などについてもその情報を把握することができる。

・頻繁に用いられる単語や文型については基本的にマスターしており、数多くの慣用句に加えて、比較的容易なことわざや四字熟語などについても理解し、使用することができる。

■合格ライン

●100点満点(聞取40点中必須12点以上、筆記60点中必須30点以上)中、
70点以上合格。

◎記号について

［　］：発音の表記であることを示す。
〈　〉：漢字語の漢字表記(日本漢字に依る)であることを示す。
（　）：当該部分が省略可能であるか、前後に(　)内のような単語などが続くことを示す。
【　】：品詞情報など、何らかの補足説明が必要であると判断された箇所に用いる。
「　」：Point中の日本語訳であることを示す。
★　：大韓民国と朝鮮民主主義人民共和国とでの、正書法における表記の違いを示す(南★北)。

◎「、」と「；」の使い分けについて

１つの単語の意味が多岐にわたる場合、関連の深い意味同士を「、」で区切り、それとは異なる別の意味で捉えた方が分かりやすいものは「;」で区切って示した。また、同音異義語の訳についても、「；」で区切っている。

◎／ならびに｛／｝について

／は言い替え可能であることを示す。用言語尾の意味を考える上で、動詞や形容詞など品詞ごとに日本語訳が変わる場合は、例えば、「～｛する／である｝が」のように示している。これは、「～するが」、「～であるが」という意味である。

準2級

聞きとり　20問/30分
筆　　記　40問/60分

2020年 第54回
「ハングル」能力検定試験

【試験前の注意事項】
1）監督の指示があるまで、問題冊子を開いてはいけません。
2）聞きとり試験中に筆記試験の問題部分を見ることは不正行為となるので、充分ご注意ください。
3）この問題冊子は試験終了後に持ち帰ってください。
マークシートを教室外に持ち出した場合、試験は無効となります。
※CD 3 などの番号はCDのトラックナンバーです。

【マークシート記入時の注意事項】
1）マークシートへの記入は「記入例」を参照し、ＨＢ以上の黒鉛筆またはシャープペンシルではっきりとマークしてください。ボールペンやサインペンは使用できません。
訂正する場合、消しゴムで丁寧に消してください。
2）氏名、受験地、受験地コード、受験番号、生まれ月日は、もれのないよう正しくマークし、記入してください。
3）マークシートにメモをしてはいけません。メモをする場合は、この問題冊子にしてください。
4）マークシートを汚したり、折り曲げたりしないでください。

※試験の解答速報は、試験終了後、協会公式ＨＰにて公開します。
※試験結果や採点について、お電話でのお問い合わせにはお答えできません。
※この問題冊子の無断複写・ネット上への転載を禁じます。

第54回 マークシート

「ハングル」能力検定試験

個人情報欄 ※必ずご記入ください

受験級
2 級 ････ ○
準2級 ････ ○
3 級 ････ ○
4 級 ････ ○
5 級 ････ ○

受験地コード

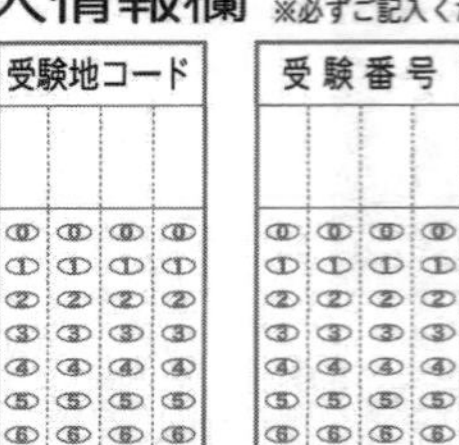

受験番号　生まれ月日

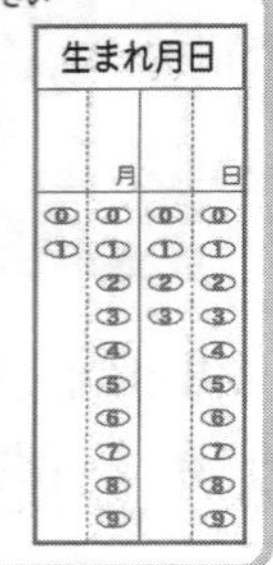

（記入心得）
1．ＨＢ以上の黒鉛筆またはシャープペンシルを使用してください。（ボールペン・マジックは使用不可）
2．訂正するときは、消しゴムで完全に消してください。
3．枠からはみ出さないように、ていねいに塗りつぶしてください。

（記入例）解答が「１」の場合

良い例　● ② ③ ④

悪い例　レ点　線　バッテン　点　うすい

聞きとり

1	①	②	③	④
2	①	②	③	④
3	①	②	③	④
4	①	②	③	④
5	①	②	③	④
6	①	②	③	④
7	①	②	③	④
8	①	②	③	④
9	①	②	③	④
10	①	②	③	④
11	①	②	③	④
12	①	②	③	④
13	①	②	③	④
14	①	②	③	④
15	①	②	③	④
16	①	②	③	④
17	①	②	③	④
18	①	②	③	④
19	①	②	③	④
20	①	②	③	④

筆　記

1	①	②	③	④
2	①	②	③	④
3	①	②	③	④
4	①	②	③	④
5	①	②	③	④
6	①	②	③	④
7	①	②	③	④
8	①	②	③	④
9	①	②	③	④
10	①	②	③	④
11	①	②	③	④
12	①	②	③	④
13	①	②	③	④
14	①	②	③	④
15	①	②	③	④
16	①	②	③	④
17	①	②	③	④
18	①	②	③	④
19	①	②	③	④
20	①	②	③	④
21	①	②	③	④
22	①	②	③	④
23	①	②	③	④
24	①	②	③	④
25	①	②	③	④
26	①	②	③	④
27	①	②	③	④
28	①	②	③	④
29	①	②	③	④
30	①	②	③	④
31	①	②	③	④
32	①	②	③	④
33	①	②	③	④
34	①	②	③	④
35	①	②	③	④
36	①	②	③	④
37	①	②	③	④
38	①	②	③	④
39	①	②	③	④
40	①	②	③	④

41問～50問は2級のみ解答

41	①	②	③	④
42	①	②	③	④
43	①	②	③	④
44	①	②	③	④
45	①	②	③	④
46	①	②	③	④
47	①	②	③	④
48	①	②	③	④
49	①	②	③	④
50	①	②	③	④

K12516T 110kg

ハングル能力検定協会

問　題

聞きとり問題

CD29

1

短い文と選択肢を２回ずつ読みます。文の内容に合うものを①〜④の中から１つ選んでください。解答はマークシートの１番〜４番にマークしてください。
(空欄はメモする場合にお使いください)　〈2点×4問〉

CD30

１）＿＿＿＿＿＿＿＿＿＿＿＿＿＿　**1**

①＿＿＿＿　②＿＿＿＿　③＿＿＿＿　④＿＿＿＿

CD31

２）＿＿＿＿＿＿＿＿＿＿＿＿＿＿　**2**

①＿＿＿＿　②＿＿＿＿　③＿＿＿＿　④＿＿＿＿

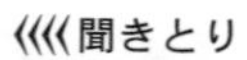

CD32

3）＿＿＿＿＿＿＿＿＿＿＿＿＿＿＿＿＿＿＿＿ **3**

①＿＿＿＿＿＿＿＿　②＿＿＿＿＿＿＿＿

③＿＿＿＿＿＿＿＿　④＿＿＿＿＿＿＿＿

CD33

4）＿＿＿＿＿＿＿＿＿＿＿＿＿＿＿＿＿＿＿＿ **4**

①＿＿＿＿　②＿＿＿＿　③＿＿＿＿　④＿＿＿＿

問　題

CD34

2 対話文を聞いて、その内容と一致するものを①～④の中から１つ選んでください。問題文は2回読みます。解答はマークシートの５番～８番にマークしてください。
(空欄はメモをする場合にお使いください)　〈2点×4問〉

CD35

1）　**5**

여：

남：

① 환자는 이미 퇴원했다.
② 지금은 병문안이 불가능하다.
③ 환자는 수술 중이다.
④ 환자는 큰 병원으로 옮겼다.

CD36

2） **6**

여 : --

남 : --

① 방을 빌리려면 보증금을 지불해야만 한다.

② 외국인이라도 집주인이 허락하면 계약이 가능하다.

③ 여자는 집을 사려고 부동산을 찾아갔다.

④ 방을 빌리려면 보증인이 필요하다.

問 題

CD37

3) 7

남 : --

여 : --

----

① 남자는 아랫집을 찾아갔다.
② 위층 아이들은 뛰지 않았다.
③ 여자는 남자에게 사과를 했다.
④ 남자는 위층 아이들을 야단쳤다.

CD38

4) 8

남 : --

여 : --

① 두 사람은 종업원이 마음에 든다.
② 두 사람은 이 식당에 처음 왔다.
③ 두 사람은 종업원의 태도에 불만이 있다.
④ 여자는 남자를 반갑게 맞아 주었다.

CD39

3 短い文を２回読みます。引き続き4つの選択肢も２回ずつ読みます。応答文として適切なものを①～④の中から１つ選んでください。解答はマークシートの９番～12番にマークしてください。

(空欄はメモをする場合にお使いください)　〈2点×4問〉

CD40

1） 남 : --
여 : (　**9**　)

①--
②--
③--
④--

問　題

CD41

2）여：＿＿＿＿＿＿＿＿＿＿＿＿＿＿＿＿＿＿

남：（ 10 ）

①＿＿＿＿＿＿＿＿＿＿＿＿＿＿＿＿＿＿

②＿＿＿＿＿＿＿＿＿＿＿＿＿＿＿＿＿＿

③＿＿＿＿＿＿＿＿＿＿＿＿＿＿＿＿＿＿

④＿＿＿＿＿＿＿＿＿＿＿＿＿＿＿＿＿＿

CD42

3）남：＿＿＿＿＿＿＿＿＿＿＿＿＿＿＿＿＿＿

여：（ 11 ）

①＿＿＿＿＿＿＿＿＿＿＿＿＿＿＿＿＿＿

②＿＿＿＿＿＿＿＿＿＿＿＿＿＿＿＿＿＿

③＿＿＿＿＿＿＿＿＿＿＿＿＿＿＿＿＿＿

④＿＿＿＿＿＿＿＿＿＿＿＿＿＿＿＿＿＿

CD43

4）여 : ________________________________

남 :（ **12** ）

①________________________________

②________________________________

③________________________________

④________________________________

問　題

CD44

文章もしくは対話文を聞いて、問いに答える問題です。問題文は２回読みます。解答はマークシートの13番～16番にマークしてください。
(空欄はメモをする場合にお使いください)　　〈2点×4問〉

CD45

1）文章を聞いて、その内容と一致するものを①～④の中から１つ選んでください。　13

① 명동역에 가기 위해서는 이번 역에서 갈아타야 한다.
② 이 열차는 명동역까지 간다.
③ 서울역에서는 왼쪽 문으로 내린다.
④ 사고로 인해 열차 운행이 중단되었다.

問　題

CD47

2）次の文章は何について話しているのか、適切なものを①～④の中から１つ選んでください。 14

---

① 보험을 해약할 때 필요한 서류
② 보험 가입서를 작성할 때의 요령
③ 보험 설계사가 되기 위한 방법
④ 보험에 들 때 주의해야 할 점

問　題

CD49

3）対話文を聞いて、その内容と一致するものを①～④の中から1つ選んでください。 **15**

남：____

여：____

남：____

____

여：____

① 여자는 남자의 승진을 축하했다.

② 남자는 사무실을 옮겼다.

③ 두 사람은 상사와 부하의 관계이다.

④ 남자는 회사를 퇴직했다.

CD51

4）対話文を聞いて、その内容と一致するものを①～④の中から１つ選んでください。 **16**

남 : --

여 : --

남 : --

여 : --

① 여자는 짐을 다 가지고 비행기를 타기로 했다.

② 여자는 초과 요금을 내기로 했다.

③ 이 항공사는 짐이 많아도 추가 요금이 발생하지 않는다.

④ 여자가 타려는 비행기에 결함이 생겼다고 한다.

問　題

CD53

5 文章もしくは対話文を聞いて、問いに答える問題です。問題文と選択肢をそれぞれ２回ずつ読みます。解答はマークシートの17番～20番にマークしてください。
(空欄はメモをする場合にお使いください)　〈2点×4問〉

CD54

1）文章を聞いて、その内容と一致するものを①～④の中から１つ選んでください。 **17**

①

②

③

④

問　題

CD57

2）次の文章は何について話しているのか、適切なものを①～④の中から１つ選んでください。 18

①

②

③

④

問　題

CD60

3）次の対話は何について話しているのか、適切なものを①～④の中から１つ選んでください。 **19**

여：＿＿＿＿＿＿＿＿＿＿＿＿＿＿＿＿＿＿＿＿

＿＿＿＿＿＿＿＿＿＿＿＿＿＿＿＿＿＿＿＿

남：＿＿＿＿＿＿＿＿＿＿＿＿＿＿＿＿＿＿＿＿

여：＿＿＿＿＿＿＿＿＿＿＿＿＿＿＿＿＿＿＿＿

남：＿＿＿＿＿＿＿＿＿＿＿＿＿＿＿＿＿＿＿＿

①＿＿＿＿＿＿＿＿＿＿＿＿＿＿＿＿＿＿＿＿

②＿＿＿＿＿＿＿＿＿＿＿＿＿＿＿＿＿＿＿＿

③＿＿＿＿＿＿＿＿＿＿＿＿＿＿＿＿＿＿＿＿

④＿＿＿＿＿＿＿＿＿＿＿＿＿＿＿＿＿＿＿＿

問　題

CD63

4）対話文を聞いて、その内容と一致するものを①～④の中から1つ選んでください。 **20**

여 : --

남 : --

여 : --

남 : --

①--

②--

③--

④--

筆記問題

1

下線部を発音どおり表記したものを①～④の中から１つ選びなさい。
(マークシートの１番～２番を使いなさい)　〈2点×2問〉

1） 친구는 한국 요리를 좋아한다.　1

① [한구교리]　② [한궁뇨리]
③ [한궁요리]　④ [한군뇨리]

2） 저는 올해 스물여섯 살이 됩니다.　2

① [스문녀선]　② [스무려선]
③ [스물려선]　④ [스뭉여선]

2 (　　)の中に入れるのに最も適切なものを①～④の中から１つ選びなさい。
(マークシートの３番～８番を使いなさい)　〈1点×6問〉

1) 그 영화는 보지는 않았지만 (**3**) 알고 있다.

① 재산은　② 꾀병은　③ 줄거리는　④ 밥상은

2) 의자가 (**4**) 오래 앉아 있을 수가 없다.

① 딱딱해서　② 얌전해서　③ 떳떳해서　④ 우울해서

3) 모르는 사람이 자꾸 (**5**) 쳐다봐서 무서웠다.

① 점점　② 힐끗힐끗　③ 시큰시큰　④ 펄펄

4) A : 여보, 서두르세요. 이러다 비행기 놓치겠어요.
B : 처자식을 두고 가려니 (**6**)
A : 겨우 3일 출장 가면서……. 농담 말고 빨리 가세요.

① 발을 빼고 싶지 않아.　② 발이 떨어지지를 않아.
③ 발이 아주 넓어.　④ 발걸음이 가벼워.

5）A：김 과장, 요즘 얼굴색이 많이 안 좋아 보이는데 어디 몸에 이상 있는 거 아냐?
B：설마 무슨 이상 있겠어요? 아마 피곤해서 그럴 겁니다.
A：（ **7** ）빨리 병원에 가서 검사 받아 봐.

① 죽는 소리를 한다고
② 몸이 열 개라도 모자란다고
③ 뒷맛이 쓰다고
④ 설마가 사람 잡는다고

6）A：소방관이 되고 아직 현장에 한 번도 못 가 봤어요.
B：（ **8** ）직접 체험해 보면 느끼는 게 많을 거야.
A：제가 잘할 수 있을지 걱정입니다. 선배님, 많은 지도 부탁드립니다.

① 백 번 듣는 것이 한 번 보는 것만 못하다고
② 웃는 낯에 침 못 뱉는다고
③ 불난 집에 부채질한다고
④ 쇠귀에 경 읽기라고

3 （　　　）の中に入れるのに適切なものを①～④の中から１つ選びなさい。
（マークシートの９番～14番を使いなさい）　〈1点×6問〉

1）그는 32살로 신입（ **9** ）나이가 많다.

① 한테로　② 만치　③ 이야말로　④ 치고는

2）죽는 한이（ **10** ）도중에 포기하는 일은 없을 것이다.

① 있더라도　② 있었더라면
③ 있다니　④ 있다가도

3）연락을（ **11** ）마침 친구한테서 전화가 왔다.

① 하고 말고는　② 하기는커녕
③ 하기에 따라서　④ 하려던 참이었는데

4）우리 아들은 골프를 아주 잘（ **12** ）

① 치잡니다.　② 치자면서요?
③ 친답니다.　④ 칠래요?

5) A : 사장님, 전에 말씀하신 월급 인상은 언제쯤 가능하겠습니까?
B : 김 대리도 (**13**) 회사가 어려우니까 당분간은 좀 힘들겠어.

① 안다든가 ② 알다시피 ③ 알아서야 ④ 알자마자

6) A : 나도 태오처럼 운동회에서 달리기 1등 하면 좋겠다.
B : 달리기 1등 (**14**) 무슨 소용이야. 공부를 잘해야지.

① 해 봤자 ② 하다 보니까
③ 하면 몰라도 ④ 하다가 보면

4 次の文の意味を変えずに、下線部の言葉と置き換えが可能なものを①～④の中から１つ選びなさい。
（マークシートの15番～19番を使いなさい）　〈1点×5問〉

1）자식이 잘못했을 때는 <u>혼내서라도</u> 잘못된 것을 바로잡아 줘야 한다. **15**

① 칭찬을 해서라도　② 꾸짖어서라도
③ 빌어서라도　④ 싸워서라도

2）당첨금을 <u>손에 쥔</u> 다음에야 복권에 당첨됐다는 실감이 났다. **16**

① 날린　② 보낸　③ 주운　④ 받은

3）아버지가 일찍 돌아가셔서 큰오빠가 <u>아버지나 다름없다</u>. **17**

① 아버지인 셈이다　② 아버지일 따름이다
③ 아버지일 리가 없다　④ 아버지만 못하다

4) 협상 분위기가 좋기는 하지만 합의하기에는 아직 때가 이르다. 【18】

① 자업자득이다　② 부전자전이다
③ 일석이조이다　④ 시기상조이다

5) A : 퇴근 시간이라 택시가 잡힐지 모르겠네요.
B : 엎어지면 코 닿을 데인데 운동할 겸 걸어서 가죠. 【19】

① 거리가 꽤 되니까
② 건강을 위한 거니까
③ 거리가 얼마 안 되니까
④ 넘어져서 코를 다쳤으니까

5 すべての(　　　)の中に入れることができるもの(用言は適当な活用形に変えてよい)を①～④の中から１つ選びなさい。

(マークシートの20番～22番を使いなさい)　〈2点×3問〉

1) ・넘어져서 뼈에 (　　　)가/이 갔다.
・나뭇가지로 땅바닥에 (　　　)를/을 그었다.
・그는 (　　　)를/을 모으는 것이 유일한 취미다. **20**

① 선　② 무리　③ 보석　④ 금

2) ・이 고기는 잘 (　　　) 먹어야 맛있다.
・자동차 수리 기술을 (　　　) 수리공이 되었다.
・거래처 사람들 낯을 (　　　) 두면 일하기 편할 것이다. **21**

① 익히다　② 습득하다　③ 외우다　④ 굽다

3) ・음료 안에 꿀이 들어 있으니까 잘 (　　　　) 드세요.
・저 섬에 가기 위해서는 배를 (　　　　) 갈 수밖에 없습니다.
・그는 고개를 (　　　　) 강하게 부인했다.　**22**

① 섞다　② 젓다　③ 타다　④ 흔들다

6 対話文を完成させるのに最も適切なものを①～④の中から1つ選びなさい。
(マークシートの23番～25番を使いなさい)　〈2点×3問〉

1) A：눈 깜빡할 사이에 이번 사원 여행이 끝나 버렸네요.
B：그러게요. (**23**)
A：네. 에너지 충전했으니 우리 더 열심히 일해요.

① 와서 피로만 더 쌓고 가는 거 같아요.
② 다들 불평이 이만저만이 아니던데.
③ 그래도 덕분에 쌓였던 피로가 풀렸어요.
④ 영업팀에 새로 온 신입이 실수가 많았대요.

2) A：난 배가 고프니까 짜장면 곱빼기로 먹을래.
B：(**24**)
A：내가 살을 빼든 말든 너랑 무슨 상관이야.

① 그렇게 고칼로리 음식만 먹으면서 살은 언제 빼냐?
② 그럼 나도 오랜만에 곱빼기 시킬까?
③ 내가 다이어트 중인데 다른 거 먹으면 안 될까?
④ 점심은 뭐니 뭐니 해도 순두부 정식이지.

3) A：여보, 내일 근로자의 날인데 쉬는 거죠?

B：(**25**)

A：아니 아무리 바빠도 그렇지 정말 너무하네요.

B：요즘 세상에 잘리지 않는 것만으로도 감사해야지.

① 일이 너무 바쁘고 힘들어서 사표 냈어.

② 쉬기는커녕 내일도 야근해야 해.

③ 우리 오랜만에 영화라도 보러 갈까?

④ 당신 내일 출근한다고 하지 않았어?

7 下線部の漢字と同じハングルで表記されるものを①～④の中から1つ選びなさい。
(マークシートの26番～28番を使いなさい) 〈1点×3問〉

1) 貸出 【26】

① 第 ② 対 ③ 体 ④ 態

2) 侵害 【27】

① 恵 ② 悔 ③ 該 ④ 概

3) 反抗 【28】

① 港 ② 閑 ③ 陥 ④ 合

8 文章を読んで【問１】～【問２】に答えなさい。
(マークシートの29番～30番を使いなさい)　〈2点×2問〉

미국과 일본을 포함해 결혼하면 여성이 남편의 성을 따르는 나라가 많다. 하지만 [30]한국의 여성은 결혼해도 성이 바뀌지 않는다. 그 이유로 한국은 여성을 존중하는 문화가 있었기 때문이라는 의견과 오히려 여성을 남편 가족의 구성원으로도 보지 않았기 때문이라는 의견이 있다. 이 이외에도 여러 설이 있지만 한국은 혈통*을 중요시하기 때문에 오래전부터 시집을 간 딸에게도 집안의 성을 유지하게 하려는 의도가 강했다는 의견이 설득력이 있지 않나 싶다.

*) 혈통：血統

【問１】 本文のタイトルとして最もふさわしいものを①～④の中から１つ選びなさい。 **29**

① 한국 여성이 남편의 성을 따르지 않는 이유
② 여성이 남편의 성을 따라야 하는 이유
③ 나라마다 다른 성에 대한 인식
④ 한국 여성이 이름을 바꾸는 이유

【問２】 30한국의 여성은 결혼해도 성이 바뀌지 않는다の理由としてあげられていないものを①～④の中から１つ選びなさい。 30

① 오래전부터 불교 사상의 영향을 받아 왔기 때문에
② 친정에서 성을 바꾸기를 원하지 않아서
③ 여성을 귀중하게 여기는 문화였기 때문에
④ 아내를 남편 집안 사람으로 인정하지 않아서

9 対話文を読んで【問１】〜【問２】に答えなさい。
(マークシートの31番〜32番を使いなさい)　〈2点×2問〉

레나：정국 씨, 한국 드라마 보면 실내에서도 코트를 입고 있는 장면이 눈에 띄는데 왜죠?

정국：그 질문 일본 사람한테서 많이 받는데 그렇게 이상한가요?

레나：코트는 외투니까 보통 일본에서는 (**31**) 매너거든요.

정국：그래서 그런 거였구나. 코트를 입은 채로 수업을 한 적이 있었는데 일본인 학생이 "선생님 추우세요?"라며 쳐다보길래 벗은 적이 있었거든요.

레나：한국에서는 실내에서 코트를 벗지 않아도 실례가 되지 않나요?

정국：네. 별로 신경 쓰지 않는 것 같아요. 여러 가지 이유가 있겠지만, 전 코트도 코디네이트*의 한 부분이라고 생각하거든요.

*) 코디네이트：コーディネート

【問1】（ **31** ）に入れるのに最も適切なものを①～④の中から1つ選びなさい。 **31**

① 가게 직원에게 맡기는 게
② 기온이 영하일 때만 입는 게
③ 실내에 들어갈 때 벗는 게
④ 정장 위에 입는 게

【問2】対話文の内容と一致しないものを①～④の中から1つ選びなさい。 **32**

① 레나는 한국인이 실내에서 코트를 벗지 않는 이유를 궁금해 한다.
② 실내에서 코트를 벗는 것은 전 세계 공통적인 매너이다.
③ 정국에게는 코트도 패션의 일부이다.
④ 한국에서는 실내에서 코트를 입던 벗던 별로 신경 안 쓴다.

10 文章を読んで【問１】～【問２】に答えなさい。
(マークシートの33番～34番を使いなさい)　〈2点×2問〉

여러분은 한국과 일본이 현재는 시간이 같지만 전에 시차가 있었다는 걸 아시나요? 이론적으로는 세계 표준시는 영국(０도)을 기준으로 경도*가 오른쪽으로 15도씩 이동할 때마다 １시간씩 시각이 빨라집니다. 한국은 이 표준시를 1908년에 처음으로 적용했는데 그 당시는 일본의 시간보다 30분이 느렸습니다. 일본과 같은 시간을 쓰게 된 것은 1912년부터인데요, 1950년대에 들어서 표준시를 원래대로 (33) 움직임이 있었습니다. 하지만 １시간 단위의 시차를 적용하는 국제적 관습과 비용의 문제, 그리고 군사* 작전상의 어려움 등으로 인해 일본과 같은 시간을 쓰고 있다고 합니다.

*) 경도 : 経度、군사 : 軍事

【問１】 (33)に入れるのに最も適切なものを①～④の中から１つ選びなさい。 33

① 놓아주려는　② 되돌리려는
③ 그만두려는　④ 끼어들려는

【問２】 本文の内容と一致するものを①～④の中から１つ選びなさい。 34

① 한국은 이전처럼 일본보다 30분 늦은 시간을 적용해야 한다.

② 한국이 표준시를 처음 적용했을 당시는 일본과 시차가 없었다.

③ 한국이 표준시를 일본 시간에 맞춘 것은 일본이 한국보다 영토가 넓기 때문이다.

④ 한국은 이전에 일본과 시차가 있었지만 편의상 같은 시간을 쓰고 있다.

問　題

11 下線部の日本語訳として適切なものを①～④の中から１つ選びなさい。
(マークシートの35番～37番を使いなさい)　〈2点×3問〉

1) 난생처음 선을 봤는데 여간 쑥스러운 게 아니었다.　35

① 照れくさくてたまらなかった。
② 居心地が悪いといったらなかった。
③ それほど恥ずかしくなかった。
④ 理想の人ではなかった。

2) 잘 알지도 못하면서 낄 때 안 낄 때 다 끼려고 한다.　36

① いつも目をそらそうとする。
② すぐ知ったかぶりをする。
③ 何かと腕を組もうとする。
④ 何にでも口を挟もうとする。

3）<u>말은 쉽죠.</u> 직접 한번 해 보세요. 37

① 優しい言葉遣いですね。

② 口で言うのは簡単ですよ。

③ 言葉を学ぶのは簡単ですよ。

④ まるで他人事ですね。

問　題

12 下線部の訳として適切なものを①～④の中から１つ選びなさい。
(マークシートの38番～40番を使いなさい)　〈2点×3問〉

1) 面接のことですか。さんざんでしたよ。何も答えられませんでした。　38

① 눈을 뜨고 볼 수 없었어요.
② 기가 죽었어요.
③ 얼른 끝냈어요.
④ 말도 마세요.

2) 専務が言ってること、聞き流した方がいいですよ。　39

① 한 귀로 듣고 한 귀로 흘리는 게 좋아요.
② 한 소리 듣는 게 좋아요.
③ 피땀을 흘려 하는 게 좋아요.
④ 잘 새겨 듣는 게 좋아요.

3) このコーラ、気が抜けてるね。　40

① 입맛이 떨어졌네.
② 김이 빠졌네.
③ 맛이 들었네.
④ 넋이 빠졌네.

聞きとり 問題と解答

これから準2級の聞きとりテストを行います。選択肢①～④の中から解答を1つ選び、マークシートの指定された欄にマークしてください。どの問題もメモをする場合は問題冊子の空欄にしてください。マークシートにメモをしてはいけません。では始めます。

1 短い文と選択肢を2回ずつ読みます。文の内容に合うものを①～④の中から1つ選んでください。解答はマークシートの1番～4番にマークしてください。次の問題に移るまでの時間は10秒です。

1) 남의 물건을 훔치는 사람을 이렇게 부릅니다. [1]
→ 他人の物を盗む人をこのように呼びます。

① 형사 → 刑事　② 사모님 → 奥様
❸ 도둑 → 泥棒　④ 작가 → 作家

2) 어떤 일을 게으름 피우지 않고 열심히 하는 것을 말합니다.
→ ある事を怠けずに一生懸命やることを言います。 [2]

❶ 부지런하다 → 勤勉だ　② 익숙하다 → 慣れている
③ 급하다 → 急だ　④ 집요하다 → しつこい

解　答

Point 適切な用言を選ぶ問題。「怠けない」、「勤勉だ」という意味を持つ形容詞は①の부지런하다なので正答は①。類義語として근면하다、꾸준하다などがあり、反対語としては게으르다がある。②は、익숙한 얼굴「顔馴染み」③は、화장실이 급하다「トイレが近い」のように使い、④は「しつこい」だが、味や匂い、色などの場合は집요하다とは言わないので覚えておくと良い。

3）본래의 가격보다 훨씬 비싸게 파는 행위입니다.　**3**

→ 本来の価格よりはるかに高く売る行為です。

① 말이 새다　→ 秘密がもれる

② 얼굴을 못 들다　→ 面目が立たない

❸ 바가지를 씌우다　→ ぼったくる

④ 손을 꼽다　→ 指折り数える

Point 適切な慣用句を選ぶ問題。答えはぼったくるという意味の③。①は、어딘가에서 말이 새서 아내에게 바람 피운 것이 들켰다「どこかで秘密がもれて妻に浮気していたことがバレた」、②は、그토록 자신 있다고 큰소리 쳤는데 실패해서 얼굴을 못 들겠어요「あんなに自信あると大口たたいたのに失敗して面目が立たないです」、④は、이 날이 오기를 손꼽아 기다렸어요「この日が来るのを指折り数えて待っていました」のように使われる。

4）이제까지 들어 본 적이 없고 놀랍다는 뜻입니다.　**4**

→ 今まで聞いたことがなく、驚きだという意味です。

① 시행착오〈試行錯誤〉 → 試行錯誤

❷ 전대미문〈前代未聞〉 → 前代未聞

③ 심사숙고〈深思熟考〉 → 深く思い十分考えること

④ 애매모호〈曖昧模糊〉 → 曖昧模糊

2 対話文を聞いて、その内容と一致するものを①～④の中から１つ選んでください。問題文は２回読みます。解答はマークシートの５番～８番にマークしてください。次の問題に移るまでの時間は20秒です。

1) 여 : 정윤호 씨 병실이 어디죠?

남 : 정윤호 환자님이요? 오늘은 면회 시간이 끝났는데요.

→ 女 : チョン・ユノさんの病室はどこですか。 **5**

男 : チョン・ユノ(患者)さんですか。今日は面会時間が終わりましたが。

① 환자는 이미 퇴원했다.

→ 患者はすでに退院した。

❷ 지금은 병문안이 불가능하다.

→ 今は病気見舞いが不可能だ。

③ 환자는 수술 중이다.

→ 患者は手術中である。

④ 환자는 큰 병원으로 옮겼다.

→ 患者は大きい病院に移った。

解　答

2）여 : 외국 국적인데 방을 빌릴 수 있나요?
남 : 보증을 서 줄 사람이 있으면 가능합니다. **6**

→ 女 : 外国籍ですが、部屋を借りられますか。
男 : 保証してくれる人がいれば可能です。

① 방을 빌리려면 보증금을 지불해야만 한다.
→ 部屋を借りるには保証金(敷金)を支払わなければならない。

② 외국인이라도 집주인이 허락하면 계약이 가능하다.
→ 外国人であっても大家さんが許諾すれば契約が可能だ。

③ 여자는 집을 사려고 부동산을 찾아갔다.
→ 女性は家を買おうと、不動産屋を訪ねて行った。

❹ 방을 빌리려면 보증인이 필요하다.
→ 部屋を借りるには、保証人が必要だ。

Point 対話文の内容と一致するものを選ぶ問題。対話文は保証人がいれば外国人でも部屋が借りられるという内容。①は、保証金を支払うという話は出ていないので誤答。②は、部屋を借りる条件は保証人であり、大家さんの許諾の話は出ていないので誤答。③は、女性は家を買うためではなく、借りるために不動産屋を訪ねたので誤答。よって正答は④。

3）남 : 아래층 사람인데요, 애들 뛰어다니는 소리가 시끄러워요.
여 : 아이고, 죄송합니다. 아이들이 뛰지 못하도록 야단을 치겠습니다. **7**

→ 男 : 下の階の者ですが、お子さんたちの走り回る音がうるさいです。
女 : あら、申し訳ないです。子供たちが走らないように叱ります。

① 남자는 아랫집을 찾아갔다.
→ 男性は下の家を訪ねて行った。

② 위층 아이들은 뛰지 않았다.
→ 上の階の子供たちは走らなかった。

❸ 여자는 남자에게 사과를 했다.
→ 女性は男性に謝った。

④ 남자는 위층 아이들을 야단쳤다.
→ 男性は上の階の子供たちを叱った。

4）남：여기는 종업원이 친절해서 자주 오게 돼.
여：그렇지? 요전에 오랜만에 왔더니 반갑게 맞아 주더라.
→ 男：ここは従業員が親切だからしょっちゅう来たくなる。 8
女：そうだよね。この間、久しぶりに来たら暖かく迎えてくれたよ。

❶ 두 사람은 종업원이 마음에 든다.
→ 二人は従業員が気に入っている。

② 두 사람은 이 식당에 처음 왔다.
→ 二人はこの食堂に初めて来た。

③ 두 사람은 종업원의 태도에 불만이 있다.
→ 二人は従業員の態度に不満がある。

④ 여자는 남자를 반갑게 맞아 주었다.
→ 女性は男性を暖かく迎えてくれた。

Point 対話文の内容と一致するものを選ぶ問題。従業員の愛想が良くて男性と女性はそれが気に入っているので正答は①。ここにしょっちゅう来ていると男性が言っているので②は誤答。二人は従業員が気に

解　答

入っているので③は誤答。暖かく迎えてくれたのは女性ではなく従業員なので④も誤答。

3 短い文を２回読みます。引き続き４つの選択肢も２回ずつ読みます。応答文として適切なものを①～④の中から１つ選んでください。解答はマークシートの９番～12番にマークしてください。次の問題に移るまでの時間は20秒です。

1）남：공사 기간을 최대한으로 줄여 보겠습니다.
여：（ 9 ）
→ 男：工事期間を最大限に縮めてみます。
女：（ 9 ）

① 그 말을 들으니 앞이 캄캄해지네요.
→ その言葉を聞いたらお先真っ暗になりますね。

② 그럼 수술은 빠르면 빠를수록 좋겠네요.
→ では、手術は早ければ早いほどいいですね。

❸ 예상보다 일이 빨리 진행될 거 같네요.
→ 予想より仕事が早く進みそうですね。

④ 자신만만해 하더니 결국 실패했군요.
→ 自信満々なことを言ってたけど、結局失敗したんですね。

Point 発言を聞いて、それに対する適切な応答文を選ぶ問題。男性は工事期間をできるだけ短くしてみると言っているので工事が思ったより早く終わりそうだと言っている③が正答になる。①はポジティブな話に対する応答ではないので誤答。②は工事の話であり、手術の話は出ていないので誤答。④は失敗の話は出ていないので誤答。

2) 여 : 어머, 살을 얼마나 빼신 거예요? 다른 사람인 줄 알았어요.

남 : (10)

→ 女 : あら、どれだけやせたんですか。別人かと思いましたよ。
男 : (10)

❶ 죽기 살기로 노력해서 뺐거든요.

→ 死に物狂いで努力してやせたんですよ。

② 살찌는 데는 이게 딱이거든요.

→ 太るにはこれがぴったりなんですよ。

③ 제가 워낙 사람 보는 눈이 있어서요.

→ 私って、ものすごく人を見る目があるんですよ。

④ 먹기만 했더니 10킬로그램이나 쪘어요.

→ 食べてばかりいたら、10キログラムも太りました。

Point 発言を聞いて、それに対する適切な応答文を選ぶ問題。女性はやせた男性を見てびっくりしている。選択肢の中で応答文として考えられるのは、頑張ってダイエットしたと言っている①しかない。②の살찌다と④の찌다は太ったという意味なので誤答。③人を見る目があることとダイエットは関係がないので誤答。

3) 남 : 태연 씨, 문자해도 답장도 없고 저한테 뭐 섭섭한 거 있어요?

解　答

여 : (11)

→ 男 : テヨンさん、メールしても返事がないんですが、私に何か寂しく思うことでもあるんですか。
女 : (11)

① 전 우빈 씨한테 편지 쓴 적 없는데요.
→ 私はウビンさんに手紙を書いたこと、ないんですが。

② 당분간 못 볼 걸 생각하니까 많이 섭섭하네요.
→ 当分の間会えない事を考えると、とても名残惜しいですね。

❸ 정말로 잘못한 게 없는지 떠올려 봐요.
→ 本当に悪い事してないか、思い出してみてください。

④ 농담이니까 심각하게 받아들이지 마세요.
→ 冗談だから、深刻に受け取らないでください。

4) 여 : 어제 팬 미팅에 갔었거든. 근데 추첨에 당첨돼서 멤버들이랑 사진 찍었어.
남 : (12)

→ 女 : 昨日ファンミーティングに行ったんだ。ところがね、抽選に当たってメンバーたちと写真撮ったのよ。
男 : (12)

❶ 운이 참 좋네. 지난번에도 당첨됐었잖아.
→ 本当に運がいいね。この間も当たったじゃん。

② 그래? 그럼 나도 시간 되니까 참석할게.
→ そうなの？　じゃあ俺も時間あるから参加するね。

③ 부럽다. 나도 복권 한번 사 봐야겠다.
→ うらやましい。俺も宝くじ一度買ってみよう。

④ 거 봐. 내가 가지 말랬잖아.
→ ほら見ろ。俺が行くなって言っただろう。

4 文章もしくは対話文を聞いて、問いに答える問題です。問題文は２回読みます。解答はマークシートの13番～16番にマークしてください。次の問題に移るまでの時間は20秒です。

1）文章を聞いて、その内容と一致するものを①～④の中から１つ選んでください。 13

이번 역은 서울, 서울역입니다. 내리실 문은 오른쪽입니다. 이 역은 열차와 플랫폼 사이가 넓습니다. 내리실 때 조심하시기 바랍니다. 명동으로 가는 열차를 이용하실 분은 이번 역에서 내리시기 바랍니다.

[日本語訳]

次の駅はソウル、ソウル駅です。お降りになるドアは右側です。この駅は列車とプラットフォームの間が広いです。降りられる時お気をつけください。ミョンドンへ行く列車を利用される方は次の駅でお降りください。

解　答

❶ 명동역에 가기 위해서는 이번 역에서 갈아타야 한다.

→ ミョンドン駅へ行くためには次の駅で乗り換えなければならない。

② 이 열차는 명동역까지 간다.

→ この列車はミョンドン駅まで行く。

③ 서울역에서는 왼쪽 문으로 내린다.

→ ソウル駅では左側のドアから降りる。

④ 사고로 인해 열차 운행이 중단되었다.

→ 事故により列車の運行が停止になった。

2）次の文章は何について話しているのか、適切なものを①～④の中から１つ選んでください。 14

보험에 가입할 때는, 나에게 반드시 필요한 보장인지를 신중하게 판단해야 합니다. 보험 설계사의 말만 믿고 불필요한 상품에 가입하는 일이 없도록 주의합시다.

[日本語訳]

保険に加入する時は、自分に必ず必要な保障なのか慎重に判断しなければなりません。保険プランナーの言う事だけ信じて不必要な商品に加入することのないように注意しましょう。

① 보험을 해약할 때 필요한 서류

→ 保険を解約する時必要な書類

② 보험 가입서를 작성할 때의 요령

→ 保険加入書を作成する時の要領

③ 보험 설계사가 되기 위한 방법

→ 保険プランナーになるための方法

❹ 보험에 들 때 주의해야 할 점

→ 保険に入る時注意すべき点

3）対話文を聞いて、その内容と一致するものを①～④の中から1つ選んでください。 15

남：여보세요? 주식회사 한일의 박지성입니다.

여：어머, 이사님. 어쩐 일로 연락 주셨어요?

남：다름이 아니라 지난달에 사무실을 좀 넓은 곳으로 옮겼습니다. 시간 되시면 한번 놀러 오세요.

여：아이고, 축하드립니다.

[日本語訳]

男：もしもし。株式会社ハニルのパク・チソンです。

女：あら、理事さん。どんなご用件で連絡くださったんですか。

男：ほかでもなく先月事務所を少し広い所に移しました。時間がありましたら一度遊びに来てください。

女：わあ、おめでとうございます。

解 答

① 여자는 남자의 승진을 축하했다.

→ 女性は男性の昇進を祝った。

❷ 남자는 사무실을 옮겼다.

→ 男性は事務所を移した。

③ 두 사람은 상사와 부하의 관계이다.

→ 二人は上司と部下の関係だ。

④ 남자는 회사를 퇴직했다.

→ 男性は会社を退職した。

Point 対話文の内容と一致するものを選ぶ問題。男性が事務所を移転したことを電話で伝えている場面。①は、女性は男性の昇進を祝っているので誤答。③は、二人は違う会社で仕事しているので誤答。④は、退職の話は出ていないので誤答。よって正答は②。

4）対話文を聞いて、その内容と一致するものを①～④の中から１つ選んでください。 **16**

남：고객님, 저희 항공사는 짐의 무게가 15킬로그램까지 무료라서 초과 요금을 내셔야겠습니다.

여：겨우 3킬로그램 초과인데 어떻게 좀 안 될까요?

남：죄송합니다. 초과 요금 3만 원을 내시든가 3킬로그램은 가지고 비행기를 타셔야겠는데요.

여：알겠어요. 지불할게요.

第54回 解答

[日本語訳]

男：お客様、私どもの航空会社は荷物の重さが15キログラムまで無料なので超過料金をお支払いいただかなければなりません。

女：たったの３キログラム超過なのに、何とかなりませんか。

男：申し訳ございません。超過料金の３万ウォンお支払いになられるか、３キログラムは持って飛行機に乗られなければなりません。

女：分かりました。支払います。

① 여자는 짐을 다 가지고 비행기를 타기로 했다.
→ 女性は、荷物を全部持って飛行機に乗ることにした。

❷ 여자는 초과 요금을 내기로 했다.
→ 女性は、超過料金を払うことにした。

③ 이 항공사는 짐이 많아도 추가 요금이 발생하지 않는다.
→ この航空会社は、荷物が多くても超過料金が発生しない。

④ 여자가 타려는 비행기에 결함이 생겼다고 한다.
→ 女性が乗ろうとする飛行機に、欠陥が生じたそうだ。

Point 対話文の内容と一致するものを選ぶ問題。女性が飛行機に乗る前に荷物を預ける手続きをしている場面で、無料で預けられる荷物の重さが基準を超えている状況。男性とのやりとりの結果、女性は超過料金を払って荷物を全部預けることにしたので①は誤答。③は、荷物の重さが15kgを超えた場合、超過料金が発生するので誤答。④は、飛行機の欠陥の話は出ていないので誤答。よって正答は②。

解　答

5 文章もしくは対話文を聞いて、問いに答える問題です。問題文と選択肢をそれぞれ２回ずつ読みます。解答はマークシートの17番〜20番にマークしてください。次の問題に移るまでの時間は20秒です。

1）文章を聞いて、その内容と一致するものを①〜④の中から１つ選んでください。　**17**

이번 달 들어 유행성 감기에 걸리는 사람이 늘어나고 있습니다. 감기는 공기를 통해 퍼지며 환자와 접촉하면 걸릴 수 있습니다. 외출할 때에는 반드시 마스크를 쓰고 손을 자주 씻으면 감기 예방에 도움이 됩니다.

[日本語訳]

今月に入り、流行性の風邪をひく人が増えています。風邪は空気を通じて広がり、患者と接触するとかかる可能性があります。外出する時は必ずマスクをし、手を頻繁に洗うと風邪の予防に役立ちます。

① 요즘 유행하고 있는 감기는 좀처럼 약이 듣지 않는다.
→ 最近流行っている風邪は、なかなか薬が効かない。

② 감기에 걸리는 과정은 아직 밝혀지지 않았다.
→ 風邪をひく過程は、まだ明らかになっていない。

❸ 감기 환자와 같은 공간에 있으면 감기에 걸릴 가능성이 있다.

→ 風邪の患者と同じ空間にいると、風邪をひく可能性がある。

④ 마스크를 쓰면 절대로 감기에 걸리지 않는다.

→ マスクをすれば、絶対に風邪をひかない。

Point 問題文の内容と一致するものを選ぶ問題。風邪が流行っているので予防のためにマスクをし、手をきれいに洗いましょうと呼びかけている内容。①は、薬が効くか効かないかという話は出ていないので誤答。②は、風邪をひいている人と接触すると感染する可能性があると本文で言っているので誤答。④は、本文ではマスクをすると風邪の予防に役立つとしか言っていないので誤答。よって正答は③。

2）次の文章は何について話しているのか、適切なものを①～④の中から１つ選んでください。 18

요즘 걸으면서 휴대폰을 보는 사람이 급격히 늘었다. 넘어지거나 다른 사람과 부딪히는 사고도 늘고 있다. 걸으면서 휴대폰을 만지게 되면 시야가 지나치게 좁아져서 주위에 주의를 기울일 수 없기 때문이다.

[日本語訳]

最近歩きながら携帯電話を見る人が急激に増えた。転んだり、他の人とぶつかったりする事故も増えている。歩きながら携帯電話をいじると視野が極端に狭くなり、周囲に注意を払うことができないからである。

解　答

① 휴대폰이 필수품이 된 이유
　→ 携帯電話が必需品になった理由

❷ 걸으면서 휴대폰을 보면 위험한 이유
　→ 歩きながら携帯電話を見ると危険な理由

③ 휴대폰 제조업이 발전한 이유
　→ 携帯電話の製造業が発展した理由

④ 접촉 사고를 막기 위한 대책
　→ 接触事故を防ぐための対策

3）次の対話文は何について話しているのか、適切なものを①～④の中から１つ選んでください。 19

여：요전에 해외 출장 갔다가 돌아오는 비행기를 놓칠 뻔했어요. 갑자기 전철 운행이 중단됐다지 뭐예요.

남：아이고, 큰일 날 뻔했네요.

여：다행히 회화를 공부해 둔 덕분에 비행기를 놓치지 않았어요.

남：역시 어학 공부는 중요하네요.

[日本語訳]

女：先日海外出張に行ったんですけど、帰りの飛行機を逃すところでした。急に電車が運転見合わせになったというじゃありませんか。

男：ありゃ、大変な事になるところでしたね。

女：幸いな事に会話を勉強しておいたおかげで、飛行機を逃しま

　せんでした。
男：やっぱり語学の勉強は大事ですね。

① 회화를 잘하는 비결
→ 会話を上手にする秘訣
② 해외에서 지켜야 할 매너
→ 海外で守るべきマナー
③ 말이 안 통해서 고생한 경험
→ 言葉が通じなくて苦労した経験
❹ 출장 중에 일어난 에피소드
→ 出張中に起きたエピソード

4）対話文を聞いて、その内容と一致するものを①～④の中から１つ選んでください。 20

여：교수님, 대학원 진학 추천서를 좀 써 주셨으면 하는데요.
남：언제까지 써 주면 되겠어?
여：졸업 논문이 시급하니까 우선 논문부터 체크해 주시고 그 후에 써 주시면 될 거 같은데요.
남：그래, 그럼 그렇게 하도록 하지.

[日本語訳]
女：先生、大学院の進学推薦書をちょっと書いていただきたいんですが。

解　答

男：いつまでに書けばいいの？

女：卒業論文の方が急を要するので、まず論文からチェックしてくださって、その後に書いてくだされば大丈夫かと思いますが。

男：そう、じゃあそうすることにしよう。

① 교수는 학생에게 유학을 추천했다.
→ 教授は学生に留学を勧めた。

❷ 교수는 추천서를 써 주기로 했다.
→ 教授は推薦書を書いてあげることにした。

③ 학생은 추천서 내용에 불만이 있다.
→ 学生は推薦書の内容に不満がある。

④ 교수는 추천서 작성이 힘들다고 했다.
→ 教授は推薦書の作成が難しいと言った。

筆記 問題と解答

1 下線部を発音どおり表記したものを①～④の中から１つ選びなさい。

1）친구는 한국 요리를 좋아한다. [1]
→ 友達は韓国料理が好きだ。

① [한구교리]　❷ [한궁뇨리]
③ [한궁요리]　④ [한군뇨리]

2）저는 올해 스물여섯 살이 됩니다. [2]
→ 私は今年26歳になります。

① [스문녀섣]　② [스무려섣]
❸ [스물려섣]　④ [스뭉여섣]

2 （　　）の中に入れるのに最も適切なものを①～④の中から１つ選びなさい。

1）그 영화는 보지는 않았지만（ [3] ）알고 있다.
→ あの映画は見ていないが（ [3] ）知っている。

解 答

① 재산은 → 財産は　② 꾀병은 → 仮病は
❸ 줄거리는 → あらすじは　④ 밥상은 → 食膳は

2）의자가（ 4 ）오래 앉아 있을 수가 없다.
→ 椅子が（ 4 ）長く座っていられない。

❶ 딱딱해서 → 固くて
② 얌전해서 → おとなしくて
③ 떳떳해서 → 堂々としていて
④ 우울해서 → 憂うつで

3）모르는 사람이 자꾸（ 5 ）쳐다봐서 무서웠다.
→ 知らない人が何度も（ 5 ）見つめるから怖かった。

① 점점 → 段々　❷ 힐끗힐끗 → じろりじろりと
③ 시큰시큰 → ずきずきと　④ 펄펄 → ぐらぐらと

Point 適切な副詞を選ぶ問題。問題文を見ると자꾸「何度も」と쳐다보다「見つめる」の間には、「どのように見ているか」という表現が入ることが分かる。よって「じろりじろりと」という意味の②が正答。①は、면접 순서가 다가오자 점점 긴장됐다「面接の順番が近づくにつれ段々緊張してきた」、③は、찬바람이 불면 무릎이 시큰시큰 아파온다「冷たい風が吹くと膝がずきずきと痛くなる」、④は、물이 펄펄 끓다「お湯がぐらぐらと沸き立つ」のように使われる。

4）A：여보, 서두르세요. 이러다 비행기 놓치겠어요.
B：처자식을 두고 가려니（ 6 ）

A：겨우 3일 출장 가면서……. 농담 말고 빨리 가세요.

→ A：あなた、急いでください。こんなことしてたら飛行機逃しますよ。
B：妻子を置いて行かなくちゃいけないから（ 6 ）
A：たった3日の出張に行くのに……。冗談言わないで早く行ってください。

① 발을 빼고 싶지 않아. → 手を引きたくない。
❷ 발이 떨어지지를 않아. → 名残惜しい。
③ 발이 아주 넓어. → 顔がとても広い。
④ 발걸음이 가벼워. → 足取りが軽い。

Point 適切な慣用句を選ぶ問題。出張で三日間家族と離れなければならない状況で、括弧には「行きたくない、寂しい」という意味の慣用句が入ることが分かる。よって「名残惜しい【直訳：足が離れない】」という意味の②が正答になる。①は、돈이 되는 사업이니까 발을 빼고 싶지 않아「お金になる事業だから手を引きたくない【直訳：足を抜きたくない】」、③は、저 사람은 국회의원을 했었기 때문에 발이 아주 넓어「あの人は国会議員をやってたので顔がとても広い【直訳：足がとても広い】」、④は、문제를 해결한 그의 발걸음은 가벼워 보였다「問題を解決した彼の足取りは軽そうに見えた」のように使われる。

5）A：김 과장, 요즘 얼굴색이 많이 안 좋아 보이는데 어디 몸에 이상 있는 거 아냐?
B：설마 무슨 이상 있겠어요? 아마 피곤해서 그럴 겁니다.
A：（ 7 ）빨리 병원에 가서 검사받아 봐.

→ A：キム課長、最近顔色がとても良くないように見えるけど、どこか体に異常があるんじゃないの？

解 答

B：まさか、何か異常がありますかね。たぶん疲れてるからそうだと思います。
A：（ 7 ）、早く病院に行って検査受けてみろよ。

① 죽는 소리를 한다고
→ 弱音を吐くというけど
② 몸이 열 개라도 모자란다고
→ 目が回るほど忙しいというけど
③ 뒷맛이 쓰다고
→ 後味が悪いというけど
❹ 설마가 사람 잡는다고
→ 油断大敵というけど

Point 適切な慣用句を選ぶ問題。④설마가 사람 잡다を直訳すると「まさかが人を殺す」で、意訳すると「油断大敵」なので、これが正答。①죽는 소리를 하다を直訳すると「死ぬかもということを言う」だが、意訳すると「弱音を吐く」。②몸이 열 개라도 모자라다を直訳すると「体が10個でも足りない」という意味で、意訳すると「目が回るほど忙しい」。③뒷맛이 쓰다は直訳が「後味が苦い」で、意訳は「後味が悪い」。

6）A：소방관이 되고 아직 현장에 한 번도 못 가 봤어요.
B：（ 8 ）직접 체험해 보면 느끼는 게 많을 거야.
A：제가 잘할 수 있을지 걱정입니다. 선배님, 많은 지도 부탁드립니다.

→ A：消防官になって、まだ現場に一度も行ったことがありません。
B：（ 8 ）、直接体験してみると感じることが多いと思うよ。

A：私が上手くやれるか心配です。先輩、いろいろとご指導お願いします。

❶ 백 번 듣는 것이 한 번 보는 것만 못하다고
→ 百聞は一見にしかずというけど

② 웃는 낯에 침 못 뱉는다고
→ 怒れる拳笑顔に当たらずというけど

③ 불난 집에 부채질한다고
→ 火に油を注ぐというけど

④ 쇠귀에 경 읽기라고
→ 馬の耳に念仏というけど

3 (　　)の中に入れるのに適切なものを①～④の中から１つ選びなさい。

1）그는 32살로 신입 (9) 나이가 많다.
→ 彼は32歳で、新入り(9)歳を取っている。

① 한테로　→ のところに
② 만치　→ ほど
③ 이야말로　→ こそまさに
❹ 치고는　→ にしては

Point 括弧に入る適切な助詞を選ぶ問題。32歳で新入りというのは結構歳を取っているということになるので括弧に入るのは④。①は、모든

解　答

사원의 시선이 신입한테로 향했다「全ての社員の視線が新人のところに向かった」、②は、저도 신입만치 열심히 일합니다「私も新人ぐらい(新人に負けないくらい)一生懸命仕事しています」、③は、신입이야말로 우리 회사의 보물이라 할 수 있습니다「新人こそまさに我が社の宝だと言えます」のような例文が考えられる。

2）죽는 한이 (10) 도중에 포기하는 일은 없을 것이다.
→ 死ぬことが(10)途中で諦めることはないだろう。

❶ 있더라도 → あっても
② 있었더라면 → あったとしたら
③ 있다니 → あるなんて
④ 있다가도 → あっても

3）연락을 (11) 마침 친구한테서 전화가 왔다.
→ 連絡を(11)ちょうど友達から電話が来た。

① 하고 말고는 → するかしまいかは
② 하기는커녕 → するどころか
③ 하기에 따라서 → することによって
❹ 하려던 참이었는데 → しようと思っていたところだったのに

4）우리 아들은 골프를 아주 잘 (12)
→ うちの息子はゴルフをとてもよく(12)

① 치잡니다. → 打とうと言っています。

② 치자면서요? → 打とうですって?

❸ 친답니다. → 打つんですよ。

④ 칠래요? → 打ちますか?

Point 括弧に入る適切な語尾を選ぶ問題。③の-ㄴ답니다は、ある事実を親しみを込めて伝えたり、自慢げに言う「〜するんですよ」という意味と、伝聞の表現である-ㄴ다고 합니다の縮約形である-ㄴ답니다「〜するそうです」という意味があり、問題文の場合「ゴルフが上手なんですよ」と「ゴルフが上手だそうです」の両方の解釈が可能。①の치잡니다は、치자고 말했습니다に、②の치자면서요?は치자고 말했다면서요?に言い換えることができる。

5) A：사장님, 전에 말씀하신 월급 인상은 언제쯤 가능하겠습니까?

B：김 대리도 (13) 회사가 어려우니까 당분간은 좀 힘들겠어.

→ A：社長、前におっしゃった月給の引き上げは、いつ頃可能でしょうか。

B：キム代理も(13)会社が大変だから、当分はちょっと難しいと思う。

① 안다든가 → 知っているとか

❷ 알다시피 → 知っているとおり

③ 알아서야 → 知ってこそ

④ 알자마자 → 知るや否や

解　答

6）A：나도 태오처럼 운동회에서 달리기 1등 하면 좋겠다.
B：달리기 1등（ 14 ）무슨 소용이야. 공부를 잘해야지.

→ A：僕もテオのように運動会で駆けっこ1等になればいいな。
B：駆けっこ1等に（ 14 ）何の意味があるんだ。勉強ができなくちゃ。

❶ 해 봤자　→ なったところで
② 하다 보니까　→ なるうちに
③ 하면 몰라도　→ なるならまだしも
④ 하다가 보면　→ なっていると

4 文の意味を変えずに、下線部の言葉と置き換えが可能なものを①～④の中から1つ選びなさい。

1）자식이 잘못했을 때는 <u>혼내서라도</u> 잘못된 것을 바로잡아 줘야 한다.　15

→ 子供が過ちを犯した時は、<u>懲（こ）らしめてでも</u>間違いを正してあげなければならない。

① 칭찬을 해서라도　→ 褒（ほ）めてでも
❷ 꾸짖어서라도　→ 叱ってでも
③ 빌어서라도　→ 謝ってでも
④ 싸워서라도　→ 戦ってでも

Point 下線部の用言と置き換えが可能な表現を選ぶ問題。動詞혼내다は「ひどい目にあわす」、「懲らしめる」という意味があり、選択肢①～④の中で置き換えが可能なのは「叱る」、「とがめる」という意味の②꾸짖다しかない。③の빌다は「祈る」と「謝る」という二つの意味があり、행운을 빌다「幸運を祈る」、용서를 빌다「許しを請う」のように使われる。

2）당첨금을 손에 쥔 다음에야 복권에 당첨됐다는 실감이 났다. 16

→ 当選金を手にしてようやく宝くじに当たったという実感がわいた。

① 날린 → なくして　② 보낸 → 送って
③ 주운 → 拾って　**❹ 받은 → もらって**

3）아버지가 일찍 돌아가셔서 큰오빠가 아버지나 다름없다. 17

→ 父が早く亡くなったので、一番上の兄が父親同然だ。

❶ 아버지인 셈이다 → 父であるわけだ
② 아버지일 따름이다 → 父であるだけだ
③ 아버지일 리가 없다 → 父であるはずがない
④ 아버지만 못하다 → 父には及ばない

4）협상 분위기가 좋기는 하지만 합의하기에는 아직 때가 이르다. 18

→ 交渉の雰囲気がいいことはいいが、合意するにはまだ早い。

解 答

① 자업자득이다 → 〈自業自得〉 自業自得だ
② 부전자전이다 → 〈父伝子伝〉 蛙の子は蛙だ
③ 일석이조이다 → 〈一石二鳥〉 一石二鳥だ
❹ 시기상조이다 → 〈時期尚早〉 時期尚早だ

5) A：퇴근 시간이라 택시가 잡힐지 모르겠네요.
B：엎어지면 코 닿을 데인데 운동할 겸 걸어서 가죠. 19
→ A：退勤時間(帯)だからタクシーがつかまるか分からないですね。
B：目と鼻の先だから運動がてら歩いて行きましょう。

① 거리가 꽤 되니까 → 距離が結構あるから
② 건강을 위한 거니까 → 健康のためのことだから
❸ 거리가 얼마 안 되니까 → 距離がそんなにないから
④ 넘어져서 코를 다쳤으니까 → 転んで鼻を怪我したから

5 すべての(　　　)の中に入れることができるもの(用言は適当な活用形に変えてよい)を①～④の中から1つ選びなさい。

1) ・넘어져서 뼈에 (금)가/이 갔다.
→ 転んで骨に(ひび)が入った。
・나뭇가지로 땅바닥에 (금)를/을 그었다.
→ 木の枝で地べたに(線)引いた。
・그는 (금)를/을 모으는 것이 유일한 취미다. 20
→ 彼は(金)を集めるのが唯一の趣味だ。

① 선 → 線　　② 무리 → 無理

③ 보석 → 宝石　　❹ 금 → ひび；線；金

Point 全ての括弧に入ることができる体言を選ぶ問題。最初の文の括弧には②무리(無理)、④금(ひび)が入ることができ、二番目の文には①선(線)、④금(線)が入ることができる。三番目の文には③보석(宝石)と④금(金)が入ることができる。全ての文に共通して入るのは④금だけである。

2)・이 고기는 잘 (익혀서) 먹어야 맛있다.

→ この肉はよく(火を通して)食べた方が美味しい。

・자동차 수리 기술을 (익혀서) 수리공이 되었다.

→ 自動車の修理技術を(身につけて)修理工になった。

・거래처 사람들 낯을 (익혀) 두면 일하기 편할 것이다.

→ 取引先の人たちと顔(馴染みになって)おくと、仕事しやすくなると思う。

21

❶ 익히다 → 火を通す；身につける；慣らす

② 습득하다 → 習得する

③ 외우다 → 覚える

④ 굽다 → 焼く

Point 全ての括弧に入ることができる用言を選ぶ問題。最初の文の括弧には①익히다(火を通す)、④굽다(焼く)が入ることができ、二番目の文には①익히다(身につける)、②습득하다(習得する)が入ることができる。三番目の文には①익히다(慣らす)と③외우다(覚える)が入ることができる。3つの文に共通して入るのは①익히다だけだ。

解　答

3）・음료 안에 꿀이 들어 있으니까 잘 (저어서) 드세요.

→ 飲み物の中に蜜が入っているから、よく(かき混ぜて)召し上がってください。

・저 섬에 가기 위해서는 배를 (저어서) 갈 수밖에 없습니다.

→ あの島に行くためには舟を(漕いで)行くしかありません。

・그는 고개를 (젓고) 강하게 부인했다.　**22**

→ 彼は首を(振って)強く否認した。

① 섞다　→ 混ぜる

❷ 젓다　→ かき混ぜる；漕ぐ；振る

③ 타다　→ 混ぜる；乗る

④ 흔들다　→ 振る

Point 全ての括弧に入ることができる用言を選ぶ問題。最初の文の括弧には①섞다(混ぜる)、②젓다(かき混ぜる)、③타다(混ぜる)が入ることができ、二番目の文には②젓다(漕ぐ)と③타다(乗る)が入ることができる。三番目の文には②젓다(振る)と④흔들다(振る)が入ることができる。共通して入るのは②젓다のみ。

6 対話文を完成させるのに最も適切なものを①～④の中から１つ選びなさい。

1）A：눈 깜빡할 사이에 이번 사원 여행이 끝나 버렸네요.
B：그러게요. (**23**)
A：네. 에너지 충전했으니 우리 더 열심히 일해요.

→ A：あっという間に今回の社員旅行が終わってしまいましたね。
B：そうですね。(**23**)
A：はい。エネルギーを充電したから、私たちもっと一生懸命働きましょう。

① 와서 피로만 더 쌓고 가는 거 같아요.
→ 来て疲労だけもっと溜めて帰るような気がします。

② 다들 불평이 이만저만이 아니던데.
→ 皆の不平が、ちょっとやそっとじゃないようだけど。

❸ 그래도 덕분에 쌓였던 피로가 풀렸어요.
→ でも、おかげで溜まっていた疲労が取れました。

④ 영업 팀에 새로 온 신입이 실수가 많았대요.
→ 営業チームに新しく来た新入はミスが多いらしいです。

2）A：난 배가 고프니까 짜장면 곱빼기로 먹을래.
B：(**24**)
A：내가 살을 빼든 말든 너랑 무슨 상관이야.

解　答

→ A：俺はお腹が空いてるからジャージャー麺大盛りを食べる。
B：（ 24 ）
A：俺が痩せようが痩せまいが、お前と何の関係があるんだよ。

❶ 그렇게 고칼로리 음식만 먹으면서 살은 언제 빼냐?
→ そんなに高カロリーの食べ物ばかり食べてていつ痩せるんだよ。

② 그럼 나도 오랜만에 곱빼기 시킬까?
→ じゃ、俺も久しぶりに大盛り頼もうか？

③ 내가 다이어트 중인데 다른 거 먹으면 안 될까?
→ 俺、ダイエット中なんだけど、他の物食べちゃだめかな？

④ 점심은 뭐니 뭐니 해도 순두부 정식이지.
→ お昼は何と言ってもスンドゥブ定食だろう。

3） A：여보, 내일 근로자의 날인데 쉬는 거죠?
B：（ 25 ）
A：아니 아무리 바빠도 그렇지 정말 너무하네요.
B：요즘 세상에 잘리지 않는 것만으로도 감사해야지.

→ A：あなた、明日勤労者の日なんだけど、休むんですよね？
B：（ 25 ）
A：あら、いくら忙しいからといっても本当にひどいわね。
B：このご時世でクビにならないだけでも感謝しないと。

① 일이 너무 바쁘고 힘들어서 사표 냈어.
→ 仕事がとても忙しくて大変で、辞表出したよ。

❷ 쉬기는커녕 내일도 야근해야 해.
→ 休むどころか、明日も夜勤しなくちゃいけないんだよ。

③ 우리 오랜만에 영화라도 보러 갈까?

→ 私たち、久しぶりに映画でも見に行こうか？

④ 당신 내일 출근한다고 하지 않았어?

→ あなた、明日出勤すると言ってなかった？

7 下線部の漢字と同じハングルで表記されるものを①～④の中から１つ選びなさい。

1）貸出 → 대출 **26**

① 第 → 제　❷ 対 → 대　③ 体 → 체　④ 態 → 태

Point 漢字の韓国・朝鮮語読みを選ぶ問題。日本語で「たい」と音読みする漢字は、「貸(대)」と「対(대)」意外に「太(태)・体(체)・耐(내)・帯(대)・態(태)・退(퇴)・隊(대)・滞(체)」などがある。一方、韓国・朝鮮語で[대]と発音する漢字は、準2級のレベルでは「待・帯・対・隊・貸・台・大・代」さえ覚えていれば良い。

2）侵害 → 침해 **27**

① 恵 → 혜　② 悔 → 회　❸ 該 → 해　④ 概 → 개

Point 漢字の韓国・朝鮮語読みを選ぶ問題。日本語で「がい」と発音する漢字は、「害(해)」と「該(해)」意外に「外(외)・概(개)・涯(애)・蓋(개)・街(가)・骸(해)」などがある。一方、韓国・朝鮮語で[해]と発音する漢字は、準2級のレベルでは「解・海・害・該」さえ覚えていれば良い。

解 答

3）反抗 → 반항 **28**

❶ 港 → 항　② 閑 → 한　③ 陥 → 함　④ 合 → 합

8 文章を読んで【問１】〜【問２】に答えなさい。

미국과 일본을 포함해 결혼하면 여성이 남편의 성을 따르는 나라가 많다. 하지만 30한국의 여성은 결혼해도 성이 바뀌지 않는다. 그 이유로 한국은 여성을 존중하는 문화가 있었기 때문이라는 의견과 오히려 여성을 남편 가족의 구성원으로도 보지 않았기 때문이라는 의견이 있다. 이 이외에도 여러 설이 있지만 한국은 혈통*을 중요시하기 때문에 오래전부터 시집을 간 딸에게도 집안의 성을 유지하게 하려는 의도가 강했다는 의견이 설득력이 있지 않나 싶다.

*) 혈통：血統

[日本語訳]

アメリカや日本を含め、結婚すると女性が夫の姓を名乗る国が多い。しかし、30韓国の女性は結婚しても名字が変わらない。その理由として、韓国は女性を尊重する文化があったからだという意見と、むしろ女性を夫の家族の構成員としても認めなかったからだという意見がある。この他にも色々な説があるが、韓国は血統を重要視するので、昔から嫁に行った娘にも一族の名字を維持させようとする意図が強かったという意見が説得力があるのではないかと思う。

【問１】 本文のタイトルとして最もふさわしいものを①～④の中から１つ選びなさい。 29

❶ 한국 여성이 남편의 성을 따르지 않는 이유
→ 韓国の女性が夫の姓を名乗らない理由

② 여성이 남편의 성을 따라야 하는 이유
→ 女性が夫の姓を名乗らなければならない理由

③ 나라마다 다른 성에 대한 인식
→ 国によって違う名字に対する認識

④ 한국 여성이 이름을 바꾸는 이유
→ 韓国の女性が名前を変える理由

【問２】 30한국의 여성은 결혼해도 성이 바뀌지 않는다の理由としてあげられていないものを①～④の中から１つ選びなさい。 30

❶ 오래전부터 불교 사상의 영향을 받아왔기 때문에
→ 昔から仏教思想の影響を受けてきたから

② 친정에서 성을 바꾸기를 원하지 않아서
→ 実家で名字を変えることを望まないから

解　答

③ 여성을 귀중하게 여기는 문화였기 때문에
→ 女性を尊重する文化だったから

④ 아내를 남편 집안 사람으로 인정하지 않아서
→ 妻を夫の一族として認めないから

9 対話文を読んで【問１】～【問２】に答えなさい。

레나 : 정국 씨, 한국 드라마 보면 실내에서도 코트를 입고 있는 장면이 눈에 띄는데 왜죠?

정국 : 그 질문 일본 사람한테서 많이 받는데 그렇게 이상한가요?

레나 : 코트는 외투니까 보통 일본에서는 (31) 매너거든요.

정국 : 그래서 그런 거였구나. 코트를 입은 채로 수업을 한 적이 있었는데 일본인 학생이 "선생님 추우세요?"라며 쳐다보길래 벗은 적이 있었거든요.

레나 : 한국에서는 실내에서 코트를 벗지 않아도 실례가 되지 않나요?

정국 : 네. 별로 신경 쓰지 않는 것 같아요. 여러 가지 이유가 있겠지만, 전 코트도 코디네이트*의 한 부분이라고 생각하거든요.

*) 코디네이트 : コーディネート

［日本語訳］

レナ：チョングクさん、韓国ドラマを見ていると室内でもコートを着ている場面が目立つんですけど、なぜですか。

チョングク：その質問、日本人からよく受けるんですけど、そんなにおかしいですか。

レナ：コートは外套だから普通日本では（ 31 ）マナーなんですよ。

チョングク：だからそうだったんだ。コートを着たまま授業をしたことがあるんですけど、日本人学生が「先生、寒いですか？」と言って見つめていたので、脱いだことがあるんですよ。

レナ：韓国では室内でコートを脱がなくても失礼にならないんですか。

チョングク：はい。別に気にしないようです。色々な理由があるでしょうが、私はコートもコーディネートの一部分だと思うんですよ。

【問１】（ 31 ）に入れるのに最も適切なものを①～④の中から１つ選びなさい。 31

① 가게 직원에게 맡기는 게

→ 店の人に預けるのが

解　答

② 기온이 영하일 때만 입는 게
→ 気温が氷点下の時だけ着るのが

❸ 실내에 들어갈 때 벗는 게
→ 室内に入る時脱ぐのが

④ 정장 위에 입는 게
→ 正装の上に着るのが

【問２】 対話文の内容と一致しないものを①～④の中から１つ選びなさい。 **32**

① 레나는 한국인이 실내에서 코트를 벗지 않는 이유를 궁금해 한다.
→ レナは韓国人が室内でコートを脱がない理由が気になっている。

❷ 실내에서 코트를 벗는 것은 전 세계 공통적인 매너이다.
→ 室内でコートを脱ぐことは全世界共通のマナーである。

③ 정국에게는 코트도 패션의 일부이다.
→ チョングクにはコートもファッションの一部である。

④ 한국에서는 실내에서 코트를 입던 벗던 별로 신경 안 쓴다.
→ 韓国では室内でコートを着ようが脱ごうが特に気にしない。

10 文章を読んで【問１】〜【問２】に答えなさい。

여러분은 한국과 일본이 현재는 시간이 같지만 전에 시차가 있었다는 걸 아시나요? 이론적으로는 세계 표준시는 영국(0도)을 기준으로 경도*가 오른쪽으로 15도씩 이동할 때마다 1시간씩 시각이 빨라집니다. 한국은 이 표준시를 1908년에 처음으로 적용했는데 그 당시는 일본의 시간보다 30분이 느렸습니다. 일본과 같은 시간을 쓰게 된 것은 1912년부터인데요, 1950년대에 들어서 표준시를 원래대로 (33) 움직임이 있었습니다. 하지만 1시간 단위의 시차를 적용하는 국제적 관습과 비용의 문제, 그리고 군사* 작전상의 어려움 등으로 인해 일본과 같은 시간을 쓰고 있다고 합니다.

*) 경도：経度、군사：軍事

[日本語訳]

皆さんは韓国と日本が現在は時間が同じだけれど、かつて時差があったということをご存知ですか。理論的には世界標準時はイギリス（０度）を基準とし、経度が右側に15度ずつ移動する毎に１時間ずつ時刻が早くなります。韓国はこの標準時を1908年に初めて適用したのですが、その当時は日本の時間より30分遅かったのです。日本と同じ時間を使うようになったのは1912年からなのですが、1950年代に入り、標準時を元通りに（ 33 ）動きがありました。しかし、1時間単位の時差を適用する国際的慣習や費用

解　答

の問題、更に軍事作戦上の困難などによって、日本と同じ時間を使っているそうです。

【問１】（ 33 ）に入れるのに適切なものを①〜④の中から１つ選びなさい。 33

① 놓아주려는 → 放してやろうとする
❷ 되돌리려는 → 戻そうとする
③ 그만두려는 → やめようとする
④ 끼어들려는 → 割り込もうとする

【問２】本文の内容と一致するものを①〜④の中から１つ選びなさい。 34

① 한국은 이전처럼 일본보다 30분 늦은 시간을 적용해야 한다.
→ 韓国は以前のように日本より30分遅い時間を適用すべきだ。

② 한국이 표준시를 처음 적용했을 당시는 일본과 시차가 없었다.
→ 韓国が標準時を初めて適用した当時は日本と時差がなかった。

③ 한국이 표준시를 일본 시간에 맞춘 것은 일본이 한국보다 영토가 넓기 때문이다.
→ 韓国が標準時を日本の時間に合わせたのは、日本が韓国より領土が広いからである。

❹ 한국은 이전에 일본과 시차가 있었지만 편의상 같은 시간을 쓰고 있다.

→ 韓国は以前、日本と時差があったが、便宜上同じ時間を使っている。

11 下線部の日本語訳として適切なものを①～④の中から１つ選びなさい。

1）난생처음 선을 봤는데 여간 쑥스러운 게 아니었다. 35

→ 生まれて初めてお見合いをしたが、照れくさくてたまらなかった。

❶ 照れくさくてたまらなかった。
② 居心地が悪いといったらなかった。
③ それほど恥ずかしくなかった。
④ 理想の人ではなかった。

Point 適切な日本語訳を選ぶ問題。여간 ～ 게(것이) 아니었다は否定形に見えるが、「ちょっとやそっとの～さではない」、「とても～だ」という意味の慣用表現で、肯定の意味をより強調したい時に使われる。また、여간 ～ 게 아니다は、여간 -지 않다の形で使うこともできる。例）여간 쑥스러운 게 아니었다 → 여간 쑥스럽지 않았다。

2）잘 알지도 못하면서 낄 때 안 낄 때 다 끼려고 한다. 36

→ よく知りもしないくせに何にでも口を挟もうとする。

解　答

① いつも目を逸らそうとする。

② すぐ知ったかぶりをする。

③ 何かと腕を組もうとする。

❹ 何にでも口を挟もうとする。

Point 끼다は、팔장을 끼다「腕を組む」、렌즈를 끼다「コンタクトを入れる」、안경을 끼다「メガネをかける」、반지를 끼다「指輪をはめる」という意味の他に「加わる」という意味があり、問題文の下線の部分を直訳すると、「加わる時、加わらない時(をわきまえず)、全て加わろうとする」という意味になる。よって正答は④。

3) 말은 쉽죠. 직접 한번 해 보세요. 　37

→ 口で言うのは簡単ですよ。自分でやってみてください。

① 優しい言葉遣いですね。

❷ 口で言うのは簡単ですよ。

③ 言葉を学ぶのは簡単ですよ。

④ まるで他人事ですね。

12 下線部の訳として適切なものを①～④の中から１つ選びなさい。

1) 面接のことですか。さんざんでしたよ。何も答えられませんでした。 　38

→ 면접 말입니까? 말도 마세요. 전혀 대답 못 했어요.

① 눈을 뜨고 볼 수 없었어요. → 見られたものじゃなかったです。

② 기가 죽었어요. → 気が引けました。

③ 얼른 끝냈어요. → 早く終えました。

❹ 말도 마세요. → さんざんでしたよ。

Point 適切な韓国・朝鮮語訳を選ぶ問題。問題文の「さんざんでしたよ」は형편없을 정도로 아무것도 할 수 없었다「ひどいくらい何もできなかった」という意味だが、このようなひどい状況を相手に話す時、「その話はやめましょう」というニュアンスで말도 마세요と言うことが多いので覚えておこう。

2）専務が言ってること、聞き流した方がいいですよ。 39

→ 전무님이 말하시는 거, 한 귀로 듣고 한 귀로 흘리는 게 좋아요.

❶ 한 귀로 듣고 한 귀로 흘리는 게 좋아요.

→ 聞き流した方がいいですよ。

② 한 소리 듣는 게 좋아요.

→ お叱りを受けた方がいいですよ。

③ 피땀을 흘려 하는 게 좋아요.

→ 汗水流してやった方がいいですよ。

④ 잘 새겨 듣는 게 좋아요.

→ よく注意して聞いた方がいいですよ。

3）このコーラ、気が抜けてるね。 40

→ 이 콜라, 김이 빠졌네.

解　答

① 입맛이 떨어졌네.

→ 食欲がなくなったな。

❷ 김이 빠졌네.

→ 気が抜けてるね。

③ 맛이 들었네.

→ 美味しくなったね。

④ 넋이 빠졌네.

→ 茫然としてるね。

Point 김이 빠지다は、「風味がなくなる」の他に「意欲を失う」、「(話などの)間が抜けている」などの意味がある。「気が抜ける」を韓国・朝鮮語に訳すと김이 빠지다の他にも色んな言い方があるが、準2級レベルでは、정신이 나가다「正気を失う」、정신이 빠지다「ぼうっとする」さえ覚えていれば良いだろう。

準2級聞きとり 正答と配点

●40点満点

問題	設問	マークシート番号	正 答	配 点
1	1)	1	③	2
	2)	2	①	2
	3)	3	③	2
	4)	4	②	2
2	1)	5	②	2
	2)	6	④	2
	3)	7	③	2
	4)	8	①	2
3	1)	9	③	2
	2)	10	①	2
	3)	11	③	2
	4)	12	①	2
4	1)	13	①	2
	2)	14	④	2
	3)	15	②	2
	4)	16	②	2
5	1)	17	③	2
	2)	18	②	2
	3)	19	④	2
	4)	20	②	2
合 計				40

準2級筆記　正答と配点

●60点満点

問題	設問	マークシート番号	正答	配点
1	1)	1	②	2
	2)	2	③	2
2	1)	3	③	1
	2)	4	①	1
	3)	5	②	1
	4)	6	②	1
	5)	7	④	1
	6)	8	①	1
3	1)	9	④	1
	2)	10	①	1
	3)	11	④	1
	4)	12	③	1
	5)	13	②	1
	6)	14	①	1
4	1)	15	②	1
	2)	16	④	1
	3)	17	①	1
	4)	18	④	1
	5)	19	③	1
5	1)	20	④	2
	2)	21	①	2
	3)	22	②	2

問題	設問	マークシート番号	正答	配点
6	1)	23	③	2
	2)	24	①	2
	3)	25	②	2
7	1)	26	②	1
	2)	27	③	1
	3)	28	①	1
8	問1	29	①	2
	問2	30	①	2
9	問1	31	③	2
	問2	32	②	2
10	問1	33	②	2
	問2	34	④	2
11	1)	35	①	2
	2)	36	④	2
	3)	37	②	2
12	1)	38	④	2
	2)	39	①	2
	3)	40	②	2
合計				60

반절표(反切表)

	【1】	【2】	【3】	【4】	【5】	【6】	【7】	【8】	【9】	【10】
母音 / 子音	ㅏ [a]	ㅑ [ja]	ㅓ [ɔ]	ㅕ [jɔ]	ㅗ [o]	ㅛ [jo]	ㅜ [u]	ㅠ [ju]	ㅡ [ɯ]	ㅣ [i]
【1】 ㄱ [k/g]	가	갸	거	겨	고	교	구	규	그	기
【2】 ㄴ [n]	나	냐	너	녀	노	뇨	누	뉴	느	니
【3】 ㄷ [t/d]	다	댜	더	뎌	도	됴	두	듀	드	디
【4】 ㄹ [r/l]	라	랴	러	려	로	료	루	류	르	리
【5】 ㅁ [m]	마	먀	머	며	모	묘	무	뮤	므	미
【6】 ㅂ [p/b]	바	뱌	버	벼	보	뵤	부	뷰	브	비
【7】 ㅅ [s/ʃ]	사	샤	서	셔	소	쇼	수	슈	스	시
【8】 ㅇ [無音/ŋ]	아	야	어	여	오	요	우	유	으	이
【9】 ㅈ [tʃ/dʒ]	자	쟈	저	져	조	죠	주	쥬	즈	지
【10】 ㅊ [tʃʰ]	차	챠	처	쳐	초	쵸	추	츄	츠	치
【11】 ㅋ [kʰ]	카	캬	커	켜	코	쿄	쿠	큐	크	키
【12】 ㅌ [tʰ]	타	탸	터	텨	토	툐	투	튜	트	티
【13】 ㅍ [pʰ]	파	퍄	퍼	펴	포	표	푸	퓨	프	피
【14】 ㅎ [h]	하	햐	허	혀	호	효	후	휴	흐	히
【15】 ㄲ [ˀk]	까	꺄	꺼	껴	꼬	꾜	꾸	뀨	끄	끼
【16】 ㄸ [ˀt]	따	땨	떠	뗘	또	뚀	뚜	뜌	뜨	띠
【17】 ㅃ [ˀp]	빠	뺘	뻐	뼈	뽀	뾰	뿌	쀼	쁘	삐
【18】 ㅆ [ˀs]	싸	쌰	써	쎠	쏘	쑈	쑤	쓔	쓰	씨
【19】 ㅉ [ˀtʃ]	짜	쨔	쩌	쪄	쪼	쬬	쭈	쮸	쯔	찌

【11】	【12】	【13】	【14】	【15】	【16】	【17】	【18】	【19】	【20】	【21】
ㅐ [ɛ]	ㅒ [jɛ]	ㅔ [e]	ㅖ [je]	ㅘ [wa]	ㅙ [wɛ]	ㅚ [we]	ㅝ [wɔ]	ㅞ [we]	ㅟ [wi]	ㅢ [ɯi]
개	걔	게	계	과	괘	괴	궈	궤	귀	긔
내	냬	네	녜	놔	놰	뇌	눠	눼	뉘	늬
대	댸	데	뎨	돠	돼	되	둬	뒈	뒤	듸
래	럐	레	례	롸	뢔	뢰	뤄	뤠	뤼	릐
매	먜	메	몌	뫄	뫠	뫼	뭐	뭬	뮈	믜
배	뱨	베	볘	봐	봬	뵈	붜	붸	뷔	븨
새	섀	세	셰	솨	쇄	쇠	숴	쉐	쉬	싀
애	얘	에	예	와	왜	외	워	웨	위	의
재	쟤	제	졔	좌	좨	죄	줘	줴	쥐	즤
채	챼	체	쳬	촤	쵀	최	춰	췌	취	츼
캐	컈	케	켸	콰	쾌	쾨	쿼	퀘	퀴	킈
태	턔	테	톄	톼	퇘	퇴	퉈	퉤	튀	틔
패	퍠	페	폐	퐈	퐤	푀	풔	풰	퓌	픠
해	햬	헤	혜	화	홰	회	훠	훼	휘	희
깨	꺠	께	꼐	꽈	꽤	꾀	꿔	꿰	뀌	끠
때	떄	떼	뗴	똬	뙈	뙤	뚸	뛔	뛰	띄
빼	뺴	뻬	뼤	뽜	뽸	뾔	뿨	쀄	쀠	쁴
쌔	썌	쎄	쎼	쏴	쐐	쐬	쒀	쒜	쒸	씌
째	쨰	쩨	쪠	쫘	쫴	쬐	쭤	쮀	쮜	쯰

かな文字のハングル表記
（大韓民国方式）

【かな】	【ハングル】<語頭>					<語中>				
あ い う え お	아	이	우	에	오	아	이	우	에	오
か き く け こ	가	기	구	게	고	카	키	쿠	케	코
さ し す せ そ	사	시	스	세	소	사	시	스	세	소
た ち つ て と	다	지	쓰	데	도	타	치	쓰	테	토
な に ぬ ね の	나	니	누	네	노	나	니	누	네	노
は ひ ふ へ ほ	하	히	후	헤	호	하	히	후	헤	호
ま み む め も	마	미	무	메	모	마	미	무	메	모
や ゆ よ	야		유		요	야		유		요
ら り る れ ろ	라	리	루	레	로	라	리	루	레	로
わ を	와				오	와				오
が ぎ ぐ げ ご	가	기	구	게	고	가	기	구	게	고
ざ じ ず ぜ ぞ	자	지	즈	제	조	자	지	즈	제	조
だ ぢ づ で ど	다	지	즈	데	도	다	지	즈	데	도
ば び ぶ べ ぼ	바	비	부	베	보	바	비	부	베	보
ぱ ぴ ぷ ぺ ぽ	파	피	푸	페	포	파	피	푸	페	포
きゃ きゅ きょ	갸		규		교	캬		큐		쿄
しゃ しゅ しょ	샤		슈		쇼	샤		슈		쇼
ちゃ ちゅ ちょ	자		주		조	차		추		초
にゃ にゅ にょ	냐		뉴		뇨	냐		뉴		뇨
ひゃ ひゅ ひょ	햐		휴		효	햐		휴		효
みゃ みゅ みょ	먀		뮤		묘	먀		뮤		묘
りゃ りゅ りょ	랴		류		료	랴		류		료
ぎゃ ぎゅ ぎょ	갸		규		교	갸		규		교
じゃ じゅ じょ	자		주		조	자		주		조
びゃ びゅ びょ	뱌		뷰		뵤	뱌		뷰		뵤
ぴゃ ぴゅ ぴょ	퍄		퓨		표	퍄		퓨		표

撥音の「ん」と促音の「っ」はそれぞれパッチムのㄴ、ㅅで表す。
長母音は表記しない。タ行、ザ行、ダ行に注意。

かな文字のハングル表記
(朝鮮民主主義人民共和国方式)

【かな】	【ハングル】	
	＜語頭＞	＜語中＞
あ い う え お	아 이 우 에 오	아 이 우 에 오
か き く け こ	가 기 구 게 고	까 끼 꾸 께 꼬
さ し す せ そ	사 시 스 세 소	사 시 스 세 소
た ち つ て と	다 지 쯔 데 도	따 찌 쯔 떼 또
な に ぬ ね の	나 니 누 네 노	나 니 누 네 노
は ひ ふ へ ほ	하 히 후 헤 호	하 히 후 헤 호
ま み む め も	마 미 무 메 모	마 미 무 메 모
や ゆ よ	야 유 요	야 유 요
ら り る れ ろ	라 리 루 레 로	라 리 루 레 로
わ を	와 오	와 오
が ぎ ぐ げ ご	가 기 구 게 고	가 기 구 게 고
ざ じ ず ぜ ぞ	자 지 즈 제 조	자 지 즈 제 조
だ ぢ づ で ど	다 지 즈 데 도	다 지 즈 데 도
ば び ぶ べ ぼ	바 비 부 베 보	바 비 부 베 보
ぱ ぴ ぷ ぺ ぽ	빠 삐 뿌 뻬 뽀	빠 삐 뿌 뻬 뽀
きゃ きゅ きょ	갸 규 교	꺄 뀨 꾜
しゃ しゅ しょ	샤 슈 쇼	샤 슈 쇼
ちゃ ちゅ ちょ	쟈 쥬 죠	쨔 쮸 쬬
にゃ にゅ にょ	냐 뉴 뇨	냐 뉴 뇨
ひゃ ひゅ ひょ	햐 휴 효	햐 휴 효
みゃ みゅ みょ	먀 뮤 묘	먀 뮤 묘
りゃ りゅ りょ	랴 류 료	랴 류 료
ぎゃ ぎゅ ぎょ	갸 규 교	갸 규 교
じゃ じゅ じょ	쟈 쥬 죠	쟈 쥬 죠
びゃ びゅ びょ	뱌 뷰 뵤	뱌 뷰 뵤
ぴゃ ぴゅ ぴょ	뺘 쀼 뾰	뺘 쀼 뾰

撥音の「ん」は語末と母音の前ではㅇパッチム、それ以外ではㄴパッチムで表す。
促音の「っ」は、か行の前ではㄱパッチム、それ以外ではㅅパッチムで表す。
長母音は表記しない。タ行、ザ行、ダ行に注意。

「ハングル」能力検定試験

資料

2020年秋季　第54回検定試験状況

●試験の配点と平均点・最高点

級	配点（100点満点中）			全国平均点			全国最高点		
	聞・書	筆記	合格点（以上）	聞・書	筆記	合計	聞・書	筆記	合計
1級	40	60	70	22	32	54	35	49	81
2級	40	60	70	27	38	65	40	60	97
準2級	40	60	70	28	41	69	40	60	100
3級	40	60	60	27	45	72	40	60	100
4級	40	60	60	30	46	76	40	60	100
5級	40	60	60	31	48	79	40	60	100

●出願者・受験者・合格者数など

	出願者数（人）	受験者数（人）	合格者数（人）	合格率	累計（1回～54回）		
					出願者数	受験者数	合格者数
1級	117	110	17	15.5%	4,806	4,392	513
2級	619	532	228	42.9%	24,728	22,088	3,261
準2級	1,721	1,514	833	55.0%	59,868	54,015	17,747
3級	3,415	2,981	2,390	80.2%	111,287	99,127	53,433
4級	3,877	3,461	2,957	85.4%	131,398	116,742	85,345
5級	4,023	3,578	3,165	88.5%	118,502	105,465	84,994
合計	13,772	12,176	9,590	78.8%	451,532	402,701	245,379

※累計の各合計数には第18回～第25回までの準1級出願者、受験者、合格者数が含まれます。

■年代別出願者数

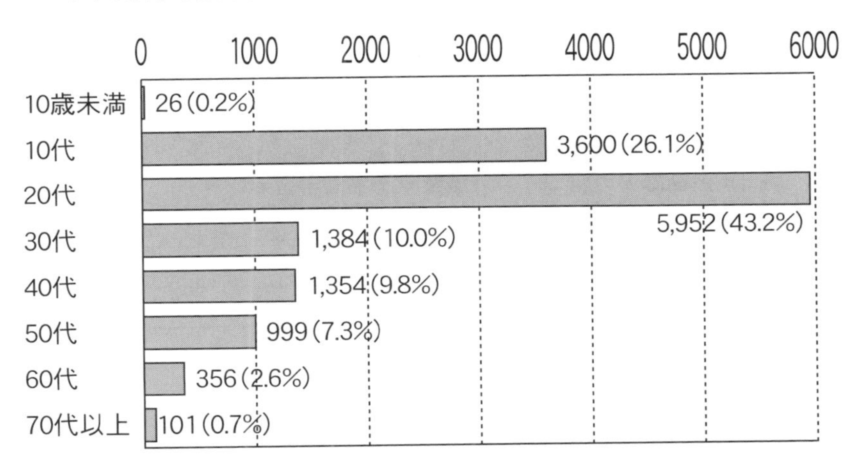

■職業別出願者数

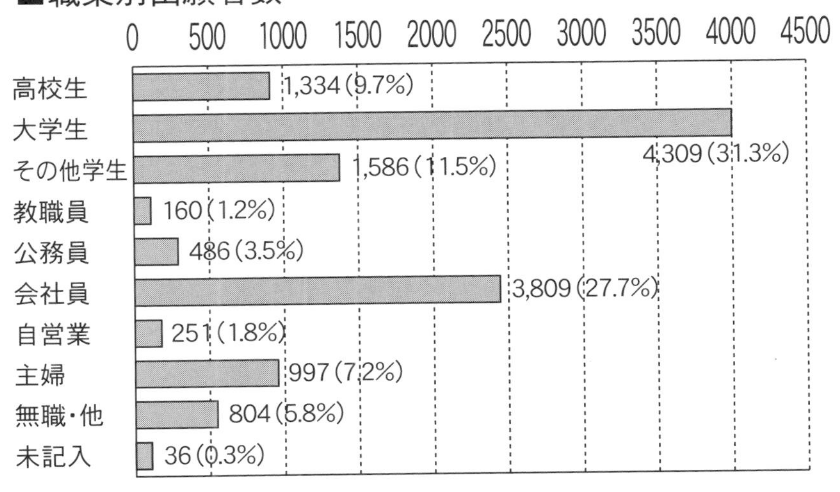

秋季第54回 試験会場一覧

都道府県コード順

〈東日本〉

受験地	第54回会場
札　幌	北海商科大学
盛　岡	アイーナ いわて県民情報交流センター
仙　台	ショーケー本館ビル
秋　田	秋田県社会福祉会館
茨　城	筑波国際アカデミー／茨城県県南生涯学習センター
宇都宮	国際TＢＣ高等専修学校
埼　玉	獨協大学
千　葉	敬愛大学
東京Ａ	フォーラムエイト
東京Ｂ	東京学芸大学(小金井キャンパス)
神奈川	横浜市金沢産業支援センター／横浜研修センター
新　潟	駅南貸会議室ＫＥＮＴＯ
富　山	富山県立伏木高等学校
石　川	金沢勤労者プラザ
長　野	長野朝鮮初中級学校
静　岡	静岡学園早慶セミナー
浜　松	浜松労政会館

秋季第54回 試験会場一覧

都道府県コード順

〈西日本〉

受験地	第54回会場
名古屋	IMYビル
四日市	四日市朝鮮初中級学校
京　都	西陣織会館
大　阪	ＴＫＰ新大阪（３会場）
神　戸	兵庫県教育会館／神戸市教育会館
鳥　取	鳥取市福祉文化会館
岡　山	岡山朝鮮初中級学校
広　島	広島ＹＭＣＡ国際文化センター
香　川	アイパル香川
愛　媛	松山大学（文京キャンパス）
福　岡	リファレンス駅東ビル
北九州	北九州市立八幡東生涯学習センター
佐　賀	メートプラザ佐賀
熊　本	熊本市国際交流会館
鹿児島	鹿児島県青少年会館
沖　縄	インターナショナルデザインアカデミー

◆千葉、東京A、B、神奈川、大阪会場の４、５級をIBT受験に切り替えました。
◆準会場での試験実施は42ヶ所となりました。
　皆様のご協力に心より感謝いたします。

1級2次試験会場一覧

※1級1次試験合格者対象

受験地	第54回会場
オンライン面接	

●合格ラインと出題項目一覧について

◇合格ライン

	聞きとり		筆記		合格点
	配点	必須得点(以上)	配点	必須得点(以上)	100点満点中(以上)
5級	40		60		60
4級	40		60		60
3級	40	12	60	24	60
準2級	40	12	60	30	70
2級	40	16	60	30	70
	聞きとり・書きとり		筆記・記述式		
	配点	必須得点(以上)	配点	必須得点(以上)	
1級	40	16	60	30	70

◆解答は、5級から2級まではすべてマークシート方式です。
　1級は、マークシートと記述による解答方式です。
◆5、4級は合格点(60点)に達していても、聞きとり試験を受けていないと不合格になります。

◇出題項目一覧

	初級		中級		上級	
	5級	4級	3級	準2級	2級	1級
学習時間の目安	40時間	80	160	240〜300	—	—
発音と文字					*	*
正書法						
語彙						
擬声擬態語			*	*		
接辞、依存名詞						
漢字						
文法項目と慣用表現						
連語						
四字熟語				*		
慣用句						
ことわざ						
縮約形など						
表現の意図						
テクストの理解と産出　内容理解						
テクストの理解と産出　接続表現	*	*				
テクストの理解と産出　指示詞	*	*				

※灰色部分が、各級の主な出題項目です。
　「*」の部分は、個別の単語として取り扱われる場合があることを意味します。

◎ 資格取得のチャンスは1年間に2回! ◎

「ハングル」検定

◆南北いずれの正書法(綴り)も認めています◆

◎春季　6 月　第1日曜日　(1級は2次試験有り、東京・大阪にて実施)
◎秋季　11月　第2日曜日　(1級は2次試験有り、東京・大阪・福岡にて実施)
※1級2次試験日は1次試験日から3週間後の実施となります。

●**試験会場**　協会ホームページからお申し込み可能です。コンビニ決済、クレジットカード決済のご利用が可能です。

札幌・盛岡・仙台・秋田・茨城・宇都宮・群馬・埼玉・千葉・東京A・東京B・神奈川
新潟・富山・石川・長野・静岡・浜松・名古屋・四日市・京都・大阪・神戸・鳥取
岡山・広島・香川・愛媛・福岡・北九州・佐賀・熊本・大分・鹿児島・沖縄

●**準会場**
◇学校、企業など、団体独自の施設内で試験を実施できます(延10名以上)。
◇高等学校以下(小、中学校も含む)の学校等で、準会場を開設する場合、「準会場学生割引受験料」を適用します(10名から適用・30%割引)。
詳しくは「受験案内(願書付き)」、または協会ホームページをご覧ください。

●**願書入手**
◇願書は全国主要書店にて無料で入手できます。
◇協会ホームページからダウンロード可、又は「願書請求フォーム」からお申し込みください。

■**受験資格**
国籍、年齢、学歴などの制限はありません。

■**試験級**
1級・2級・準2級・3級・4級・5級(隣接級との併願可)

■**検定料**

1級	10,000円	2級	6,800円	準2級	5,800円
3級	4,800円	4級	3,700円	5級	3,200円

◇検定料のグループ割引有(延10名以上で10%割引)

検定試験の最新情報は、公式ホームページでご確認ください。
公式SNSでも随時お知らせしています。
詳細はこちら　ハングル検定　検索

協会発行書籍案内　협회 발간 서적 안내

「ハングル」検定公式テキスト
ペウギ 準2級/3級/4級/5級

ハン検公式テキスト。これで合格を目指す！　暗記用赤シート付。
準2級/2,970円（税込）※CD付き
3級/2,750円（税込）
5級、4級/各2,420円（税込）
※A5版、音声ペン対応

新装版　合格トウミ
初級編 / 中級編 / 上級編

レベル別に出題語彙、慣用句、慣用表現等をまとめた受験者必携の一冊。
暗記用赤シート付。
初級編/1,760円（税込）
中級編、上級編/2,420円（税込）
※A5版、音声ペン対応

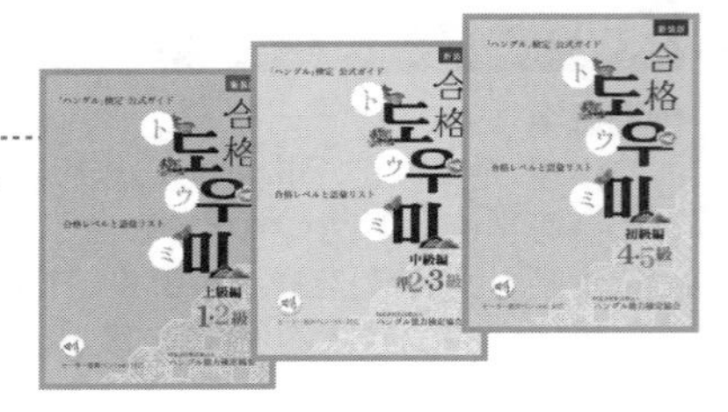

中級以上の方のためのリスニング BOOK
読む・書く「ハン検」

長文をたくさん読んで「読む力」を鍛える！
1,980円（税込）
※A5版、音声ペン対応
別売CD/1,650円（税込）

2021年版
ハン検 過去問題集（CD付）

年度別に試験問題を収録した過去問題集。
学習に役立つワンポイントアドバイス付！
上級（1、2級）/2,200円（税込）
中級（準2、3級）/1,980円（税込）
初級（4、5級）/1,760円（税込）
※2021年版のみレベル別に発刊。

★☆★詳細は協会ホームページから！★☆★

協会書籍対応　音声ペン

対応書籍にタッチするだけでネイティブの発音が聞ける。
合格トウミ、読む書く「ハン検」、ペウギ各級に対応。
8,600円（税込）

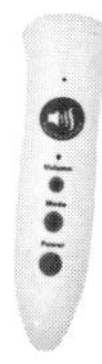

好評発売中！

2020年版
ハン検 過去問題集（ＣＤ付）

◆2019年第52回、53回分の試験問題と正答を収録、学習に役立つワンポイントアドバイス付！

１級、２級……………………………………各2,200円（税込）
準２級、３級…………………………………各1,980円（税込）
４級、５級……………………………………各1,760円（税込）

購入方法

①全国主要書店でお求めください。（すべての書店でお取り寄せできます）
②当協会へ在庫を確認し、下記いずれかの方法でお申し込みください。

【方法１：郵便振替】
振替用紙の通信欄に書籍名と冊数を記入し代金と送料をお支払いください。お急ぎの方は振込受領書をコピーし、書籍名と冊数、送付先と氏名をメモ書きにしてFAXでお送りください。

◆口座番号：00160－5－610883
◆加入者名：ハングル能力検定協会

（送料1冊350円、2冊目から1冊増すごとに100円増、10冊以上は無料）

【方法２：代金引換え】
書籍代金（税込）以外に別途、送料と代引き手数料がかかります。詳しくは協会へお問い合わせください。

③協会ホームページの「書籍販売」ページからインターネット注文ができます。
（https://www.hangul.or.jp）

※音声ペンのみのご注文：送料500円/1本です。2本目以降は1本ごとに100円増となります。書籍と音声ペンを併せてご購入頂く場合：送料は書籍冊数×100円＋音声ペン送料500円です。ご不明点は協会までお電話ください。
※音声ペンは「ハン検オンラインショップ」からも注文ができます。

2021年版「ハングル」能力検定試験
ハン検 過去問題集〈準2級・3級〉
2021年3月1日発行
編 著 特定非営利活動法人
ハングル能力検定協会
発 行 特定非営利活動法人
ハングル能力検定協会
〒101-0051 東京都千代田区神田神保町2-22-5F
TEL 03-5858-9101 FAX 03-5858-9103
https://www.hangul.or.jp
製 作 現代綜合出版印刷株式会社
定価 1,980円(税込)
HANGUL NOURYOKU KENTEIKYOUKAI
ISBN 978-4-910225-05-0 C0087 ¥1800E
無断掲載、転載を禁じます。
<落丁・乱丁本はおとりかえします> Printed in Japan